英国名門校（パブリック・スクール）で出会った
最強のリベラルアーツ

世界のリーダーは歴史をどう学ぶか

松原直美
NAOMI MATSUBARA

JIYUKOKUMINSHA

はじめに

２０１９年末に端を発する新型コロナウイルスの世界的な流行で、どの国も緊急の対処に追われた。前例がなかったこの事態は、各国がどんな対策を講じたか、どのように解決を図ろうとしたか、をリアルタイムで比較するという興味深い機会を提供してくれた。

イギリスでは当初犠牲者をかなり出してしまい、政府の「集団免疫を獲得する」という政策は明らかに失敗した。しかしその後は失敗を認め、ワクチン開発にいち早く投資し、迅速に製品化した。それを国民だけでなく世界の多くの国に供給した。また、ワクチン接種の仕組みを作り上げ、それは各国のお手本となった。政府という大きな組織にはじまり医療機関、企業、学校や家庭に至るまで各々のレベルで人々がコロナ収束に向けて、自分のできることを考え、行動した成果だろう。

一方、先進国であるはずの日本では、コロナ収束は個人の努力頼みの部分が大きく、組織的な対処は遅かった。そして一連の取り組みは他国に追随した。十分に考えられていないその場しのぎの政策が講じられ、職場や学校で混乱を招いたのは記憶に新しい。いったん規則ができると、そのあとに状況が変わっても規則を遵守するという思考停止とも言える社会現象も見られた。

前例がない事態に、どうすれば先陣を切って対応できるのか。
失敗しても、それを認め、巻き返せるのか。
行動を支える強い精神力や先を見通して考えられる力は、どうすれば育つのか。

イギリスの私立中高一貫校で選択科目の日本語を教えていた私には、考える力の育成に教育が大きくかかわっていると思えた。いろいろな科目の中でも、私は特に歴史に注目した。その学び方は、日本とはまったく違うと言っても過言ではない。一言で言うと、歴史は史実という材料をもとに考える訓練をする科目だ。

中学校を卒業する前にイギリス人が受ける全国共通の歴史の試験には選択肢問題がない。すべて論述だ。質問には次のようなものがある。「この意見に対し、あなたはどう考えるか」、「この資料はどう役に立つか。あなたの考えを説明しなさい」。質問に答えるには、自分で資料を探し、自分の考えを論理的に説明しなくてはならない。さらに、一つの質問が扱う時間の幅も長い。1000年を超す時間軸で考える問題もある。百科事典的に暗記した事項の量を競う日本の歴史の試験とは似ても似つかない。

イギリスと同じような試験は、国際バカロレアという教育プログラムでも実施されている。国際バカロレアは世界中の多くの有名校が実施している教育プログラムで、日本でもこれを取り入れる学校は増えており、2022年度には200校近くに上っている。

考える力の育成は2000年前後から文部科学省や経済界をはじめ、いろいろな方面からさかんに叫ばれている。だから、今やたいていの日本人は考える力が重要であることを認識していると言える。

しかし、ただやみくもに「考えろ」と言われても、今まで考えたことがなかった人が急に考えられるようにはならないだろう。考える力をどうやってつけたらよいかという答えを求めて、ウェブサイトや書店に並ぶ本を探してみると、多くのサイトや本が見つかる。そしてそれぞれにいろいろなアドバイスが詰まっている。

そんな中で本書の特色は、日本人が誰でも習った歴史という身近な科目を題材に、日々の生活で考える力をつけていく方法とそのプロセスを、できるだけ具体的に紹介することだ。「歴史？　自分には今さら関係ないね」。社会人や大学生にはこう思う方も多いだろう。しかし、このような方にこそ自分が習ってきた歴史の授業を振り返りながら本書を読んでいただきたい。そして現在学校で歴史を習っている方も、自分がしている勉強方法と比べてみてほしい。

日本では暗記科目だと見なされている歴史が、イギリスで学ぶ歴史とどれくらい違うかを体感していただくため、イギリスの試験問題をまずご覧にいれる。

次に、歴史の勉強方法を紹介し、頭の柔らかい子ども時代にイギリス風に歴史を学ぶことでどのような精神や思考回路が育まれるのかを、日本の歴史学習と比較しながら紐解いていく。さらに、歴史を適切に学ぶことで、どのような行動がとれるかを、実例を挙げながら説明したい。

「どうして歴史を勉強しなくてはいけないのか？　歴史は役に立つのか？」と思っていた方がその考えを変え、考える楽しさを見出していただくことが本書の狙いだ。

大人になっても、いや何歳になっても歴史は学べる。

みなさんもここで紹介したような歴史の勉強法を実践し、考える訓練をしてほしい。最初は慣れないかもしれないが、だんだんと考えることがあたりまえになり、考えるくせがついてくる。そして、思考停止やその場しのぎの短絡的な思考から脱し、自分を、さらには周りの人を高めていくのにぜひ本書を役立てていただきたい。

現在、ＡＩが驚異的な速さで進化し、人間の脳に変わりつつある。便利な一方で、大多数の人がどんどん考えない方向に向かっている。そんな中で、考えられる力を持つ人はますます貴重な存在になるはずだ。

目次

第一章　考える力を育む「歴史」とはどんなものか

第二章　イギリス人はこんな風に「歴史」を学ぶ

第三章　「歴史」の試験問題を新しい角度から考えてみる

第四章　「歴史」の勉強で育つ「思考力を支える四つのスキル」

第五章　「歴史」を学ぶとこう行動できる

第一章

考える力を育む「歴史」とはどんなものか

イギリスの学校との出会い

欧米の学校のテストは日本とだいぶ違うらしい。選択肢問題はほとんどなく、基本的に記述式だそうだ……。イギリスの学校教育について、私はその程度の知識しか持ち合わせていなかった。しかし、2013年に配偶者の転勤でロンドンへ引っ越したことをきっかけに、その認識は大きく変わる。

配偶者は商社勤務で、それまでにタイのバンコクとアラブ首長国連邦（UAE）のドバイに赴任していた。私はそれらの国の高校や大学で、日本語を教える仕事を何とか見つけてきていたので、イギリスでも学校の日本語教員として働きたいと考えていた。しかし、残念ながらイギリスの学校では、この職はあまり需要がないので就職できる可能性は高くない。

イギリスでは小学校から外国語学習が必修化されている。たいていの小学校は少なくともフランス語かスペイン語を採用しているが、学校によってはドイツ語や中国語をはじめいろいろな言語を提供している。日本語は、世界の文化を学ぶ活動の一環として取り入れている小学校は多いが、成績のつく科目として採用している学校は数少ない。中学・高校レベルだと、日本語は選択科目の一つとなっているが、実際に日本語が学べる中学・高校されている程度である。

そんなときハロウ・スクール（以下、ハロウ校）で日本語教員の公募があった。ハロウ校はパブリック・スクールと呼ばれる学校の一つだ。パブリック・スクールの説明は前著で書いているので詳しい説明は省くが、簡単に言うと長い歴史、たいてい数百年の歴史を持つ学費の高い私立名門校で、多くの著名人の母校だ。イギリスの中で、ハロウ校は中高一貫で日本語を学べる数少ない学校となっている。

イギリスの私立校で教えるのに、現地人・外国人を問わず、また常勤・非常勤を問わず、教員免許は必須ではない。教員免許はあった方が有利だ。しかし志願者が学生時代に専門科目で良い成績をおさめていることや教育に対する情熱があることを、私立校は重視する。私は、日本語教育能力検定試験は通っているが、教員免許は持っていない。今でこそ教師という職業に熱意も愛着も持っているが、学生時代は学校教員になることにあまり興味がなく、教職課程も取らなかった。しかし教員免許がないということはイギリスでの出願にまったく支障を来さなかった。ただし、保育園から高校までのイギリスの教育機関で教員として採用されるには、公立・私立を問わず詳細な無犯罪証明書が求められる。加えて、政府の「子どもと接する仕事を禁じられた人リスト」に登録されていないという証明が必須である。前科がある人でも例外的に教員になる道は残されているが、「子どもと接する仕事を禁じられた人リスト」に登録された人は生涯教員になることはできない。

余談だが、日本の学校でも、イギリスの私立校のように教員採用の門戸を広げれば応募者が増え、結果的に教員の質も上がり、人数も確保しやすくなるのではないかと思う。

さて、ハロウ校の求人に応募しようと思い立った私は、日本語を選択している中学生がどんな勉強をしているのかを調べるために、彼らが受験する試験の過去問題をさっそく入手した。この試験は、中学を卒業するときに受験する全国共通試験（General Certificate of Secondary Education, GCSE）で、本書では「中学修了試験」と呼ぶ。その問題を見て、まず分量の多さに驚いた。「読む」「書く」に加えて、「聞く」「話す」試験があり、日本語だけで3時間かかる。選択肢問題もあるが、「書く」試験では400字前後の課題作文が二つもある。（注：2019年からは試験時間が3時間半になり、作文の量もさらに増えた。）初心者で日本語を学びはじめた生徒が3年後にはこの分量と内容の試験を受けるのだ。あなたが英語を習い始めてから3年後にA4用紙ほぼ1枚全部に課題に沿った英語のエッセイを書くことを想像すると、その大変さがわかると思う。

私はこのような高度な試験を受ける生徒たちを教えられるのだろうかと気後れした。しかし自分が教師として成長するためのまたとない機会だと捉え、これらの試験対策を考えつつ三日三晩かけて履歴書を推敲し出願した。書類審査の結果はなかなか来ず、出願から一か月近く待った。しかし、書類審査通過の通知が来た後はスムーズに事が進み、模擬授業や複数の面接などを経て幸運にもポストを得ることができた。そして念願のイギリスでの教員生活が始まった。

実力がはっきり表れる試験

ハロウ校の校舎は教科ごとに分かれている。日本の大学で学部ごとに建物が分かれているのと同じだ。私は語学用の校舎で教え、授業の合間には語学教員用の休憩室に行っていた。そこで紅茶やコーヒーを飲みケーキを食べながら、他の言語を教える先生たちと雑談していた。

同僚の話に驚かされることは多かった。とりわけ、スペイン語やフランス語の中学修了試験のレベルの高さや内容の面白さは興味を引いた。これらの言語は、小学校のうちから習っている生徒が多いため、中学修了試験では日本語の試験に比べてはるかに難しいエッセイが課される。たとえば日本語のエッセイの課題は「私の学校について」、「家族について」など具体的な対象についてだが、フランス語のエッセイの課題は「十代の若者が抱える問題」という抽象的なものや、新聞、雑誌などの論評、ホテルへのクレームなど。フランスらしく（?）「結婚とハネムーン」という課題もあった。

試験の内容に興味を持った私は、いったい他の科目の中学修了試験はどんなものだろう、と思って過去問題を集めはじめた。そして国語や歴史の試験を見て仰天した。選択肢問題は一つもない。すべて記述問題だ。その記述も、状況説明をしたり自分の意見を述べたりと、とてつもない量が求められる。

この試験を見て、イギリスでは普通高校へ進学する生徒が全体の半数に過ぎないことがよく理解できた。生徒全体の40％近くは職業系の学校に進学する。日本のように、ほとんどの生徒が深く考えずにとりあえず普通高校に進む、という状況とはかなり違う。イギリスで普通高校に進学するということは、大学を目指すというのとほぼ同じだ。中学修了試験は、「勉強が好きじゃない」とか「学校の授業が苦痛」と考える子どもにとってハードルの高い試験だ。だから、勉強には向いていない子どもが「普通高校に進学するのはやめて他の道を探そう」とはっきり見切りをつけ、自分の適性について考えるきっかけをつくる。

一方、勉学の道にこころざしのある子どもにとって、中学修了試験は学問的な能力を伸ばすだけでなく精神力も鍛えられるような試験だ。これに備えてしっかり勉強すれば考える力やリーダーシップを養うのに役立つスキルを身に付けられるだろうと思えた。

歴史の試験の実物

「私は暗記が得意じゃないから○○が苦手」。この○○に入る科目は、日本人なら歴史だと思うだろう。では、「書くことが得意じゃないから○○が苦手」という場合はどうだろうか。国語と答える日本人は多いと思うが、実はイギリスでは歴史にもあてはまる。

「歴史は、どの国でも日本のように事項を細かく暗記するように教えられているだろう」と考えるのは早計だ。イギリスでは、授業で歴史上の事件や事象に対し、なぜそれが起こったか、それはのちの社会にどのような影響を与えたか、を考え文章にしたり、ディスカッションをしたりして思考力を鍛える。試験では学習者が答えを自分で考え、なぜそう考えるかを書く。この過程で生徒は考え方を学び、考える力をつけていく。

まずは、イギリスで義務教育を終える16歳が受ける歴史の試験問題の現物を見ていただきたい。

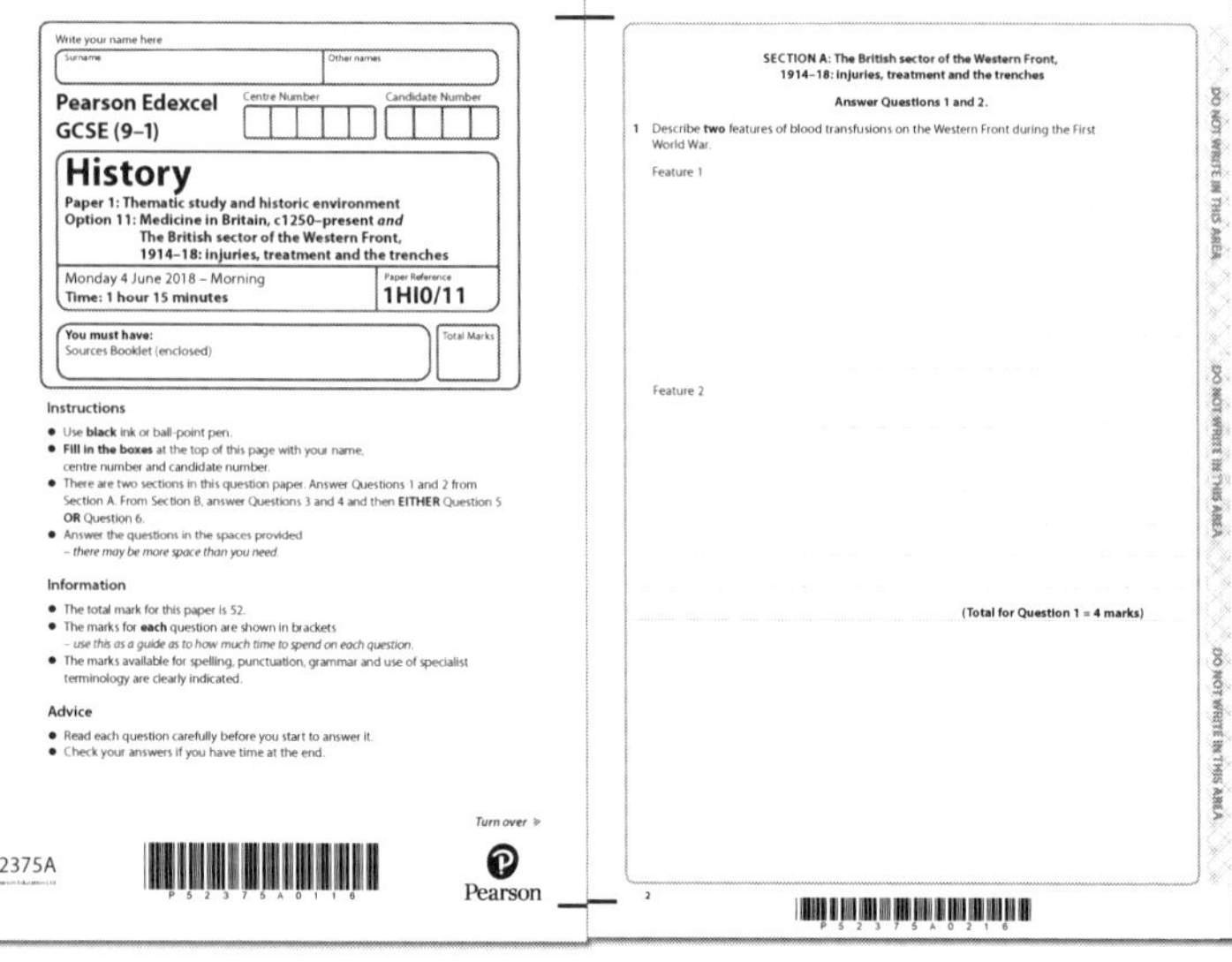

Write your name here

Surname | Other names

Pearson Edexcel GCSE (9–1)

Centre Number | Candidate Number

History

Paper 1: Thematic study and historic environment
Option 11: Medicine in Britain, c1250–present *and* The British sector of the Western Front, 1914–18: injuries, treatment and the trenches

Monday 4 June 2018 – Morning
Time: 1 hour 15 minutes

Paper Reference **1HI0/11**

You must have:
Sources Booklet (enclosed)

Total Marks

Instructions

- Use **black** ink or ball-point pen.
- **Fill in the boxes** at the top of this page with your name, centre number and candidate number.
- There are two sections in this question paper. Answer Questions 1 and 2 from Section A. From Section B, answer Questions 3 and 4 and then **EITHER** Question 5 **OR** Question 6.
- Answer the questions in the spaces provided – *there may be more space than you need.*

Information

- The total mark for this paper is 52.
- The marks for **each** question are shown in brackets – *use this as a guide as to how much time to spend on each question.*
- The marks available for spelling, punctuation, grammar and use of specialist terminology are clearly indicated.

Advice

- Read each question carefully before you start to answer it.
- Check your answers if you have time at the end.

Turn over

P52375A

Pearson

SECTION A: The British sector of the Western Front, 1914–18: injuries, treatment and the trenches

Answer Questions 1 and 2.

1 Describe **two** features of blood transfusions on the Western Front during the First World War.

Feature 1

Feature 2

(Total for Question 1 = 4 marks)

DO NOT WRITE IN THIS AREA

2

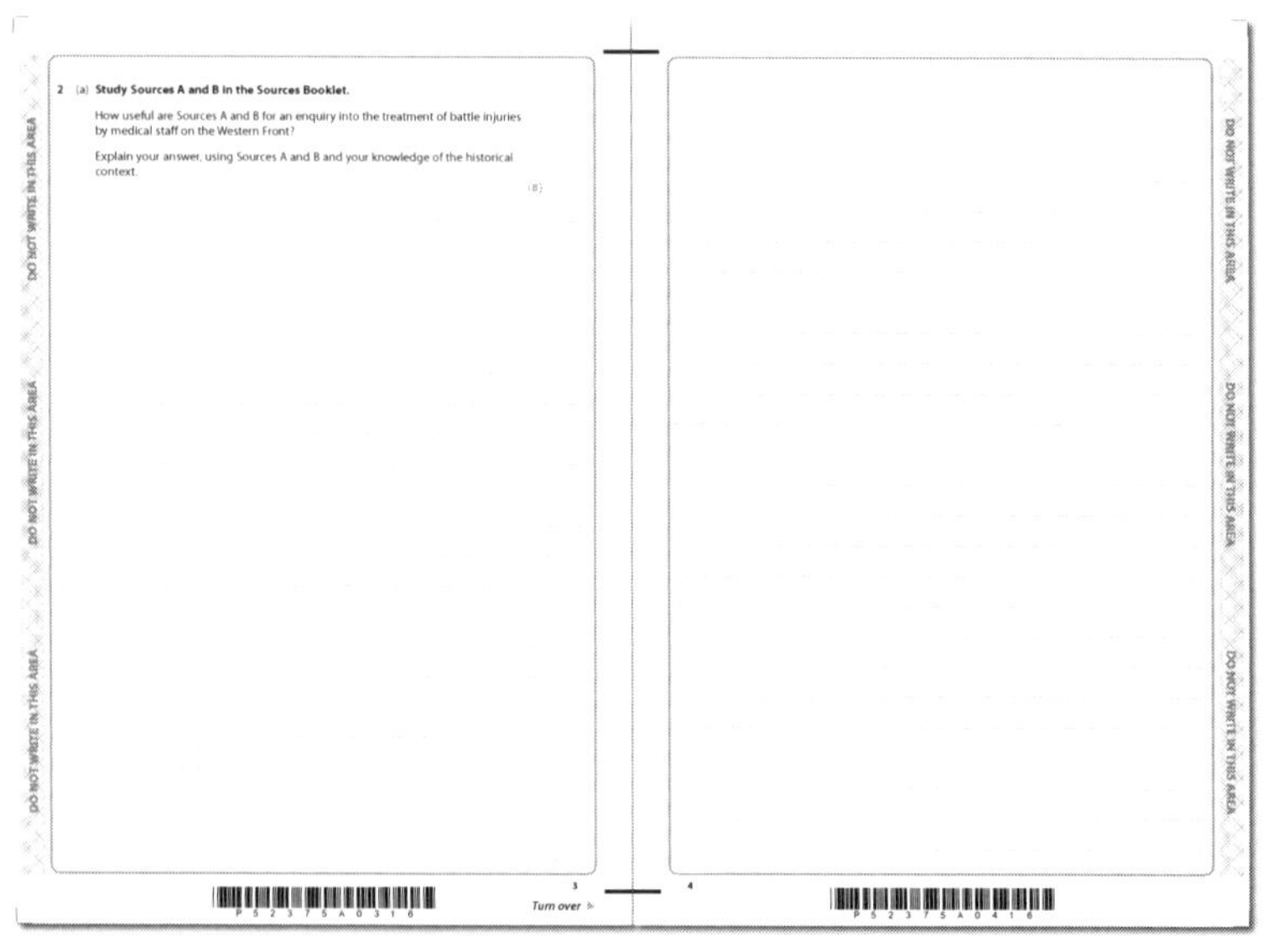

2 (a) **Study Sources A and B in the Sources Booklet.**

How useful are Sources A and B for an enquiry into the treatment of battle injuries by medical staff on the Western Front?

Explain your answer, using Sources A and B and your knowledge of the historical context.

(8)

DO NOT WRITE IN THIS AREA

3 *Turn over*

4

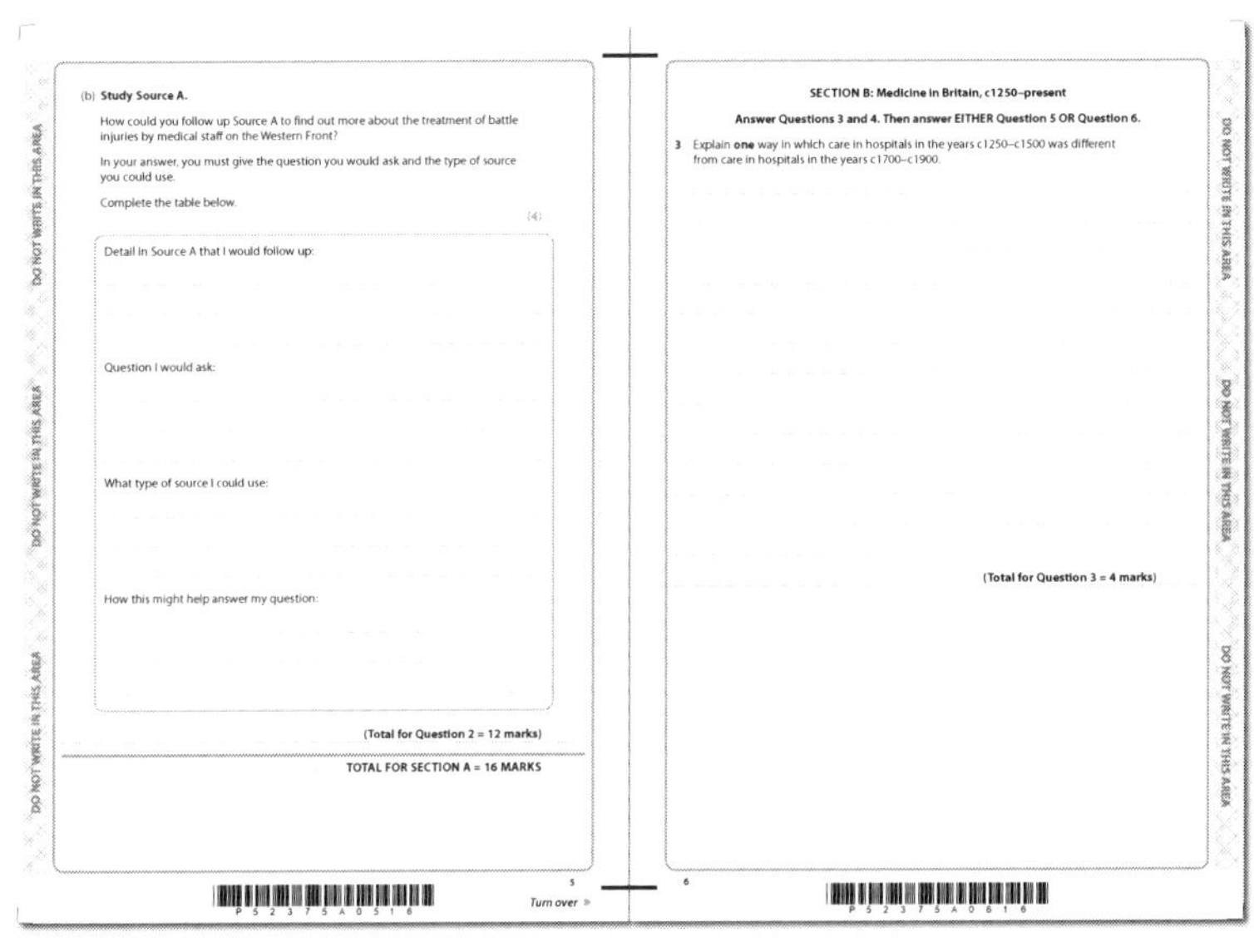

(b) **Study Source A.**

How could you follow up Source A to find out more about the treatment of battle injuries by medical staff on the Western Front?

In your answer, you must give the question you would ask and the type of source you could use.

Complete the table below.

(4)

Detail in Source A that I would follow up:

Question I would ask:

What type of source I could use:

How this might help answer my question:

(Total for Question 2 = 12 marks)

TOTAL FOR SECTION A = 16 MARKS

5

Turn over

SECTION B: Medicine in Britain, c1250–present

Answer Questions 3 and 4. Then answer EITHER Question 5 OR Question 6.

3 Explain **one** way in which care in hospitals in the years c1250–c1500 was different from care in hospitals in the years c1700–c1900.

(Total for Question 3 = 4 marks)

6

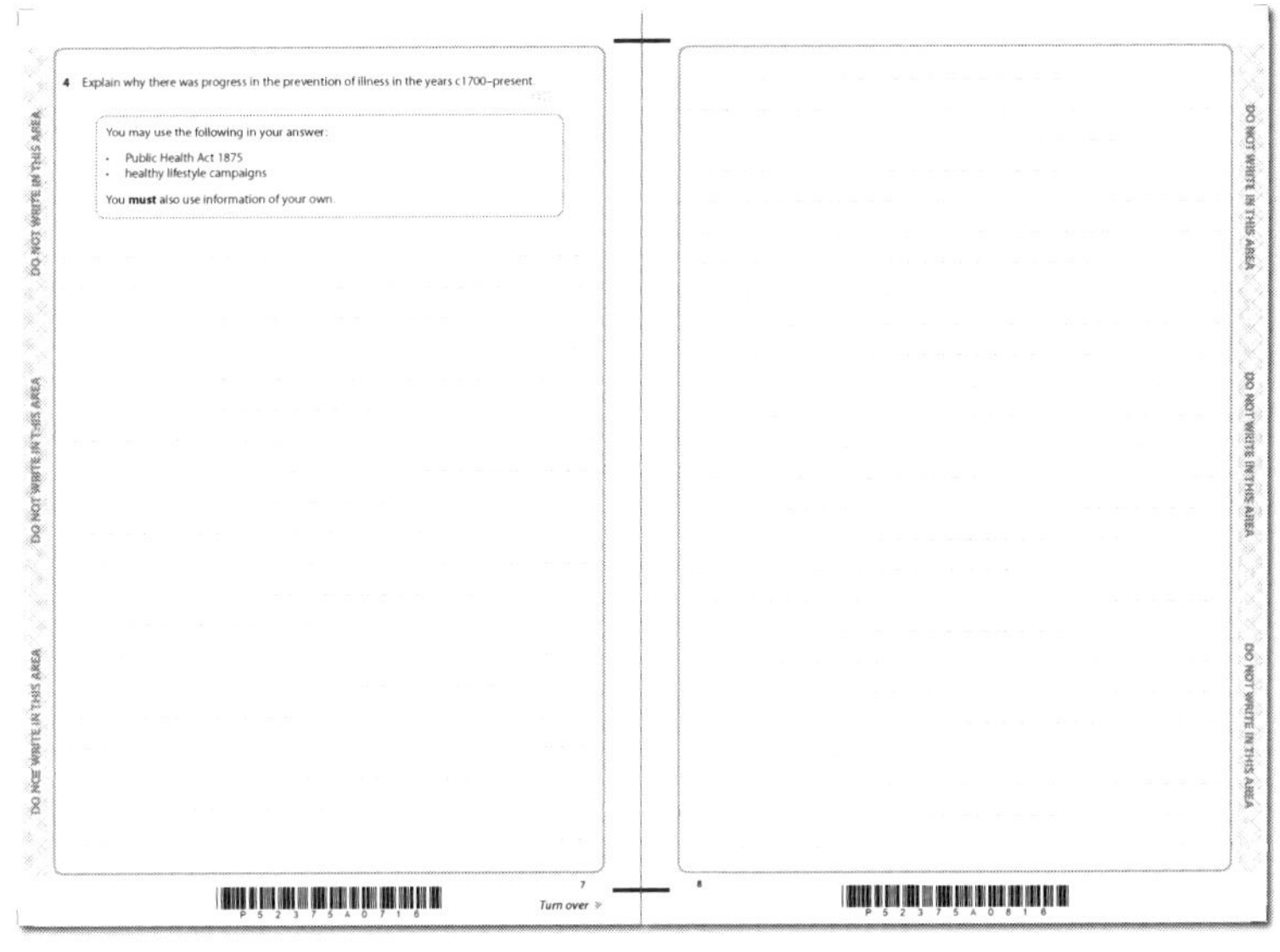

4 Explain why there was progress in the prevention of illness in the years c1700–present.

You may use the following in your answer:

- Public Health Act 1875
- healthy lifestyle campaigns

You **must** also use information of your own.

7

Turn over

8

(Total for Question 4 = 12 marks)

Answer EITHER Question 5 OR Question 6.

Spelling, punctuation, grammar and use of specialist terminology will be assessed in this question.

EITHER

5 'There was little progress in understanding the cause of disease in the years c1250–c1700.'

How far do you agree? Explain your answer.

(16)

You may use the following in your answer:

- the Great Plague in London, 1665
- Thomas Sydenham

You **must** also use information of your own.

(Total for spelling, punctuation, grammar and use of specialist terminology = 4 marks)

(Total for Question 5 = 20 marks)

OR

6 'The advances in surgery made in the years c1700–c1900 were more significant than advances in surgery made in the period c1900–present.'

How far do you agree? Explain your answer.

(16)

You may use the following in your answer:

- antiseptics
- transplants

You **must** also use information of your own.

(Total for spelling, punctuation, grammar and use of specialist terminology = 4 marks)

(Total for Question 6 = 20 marks)

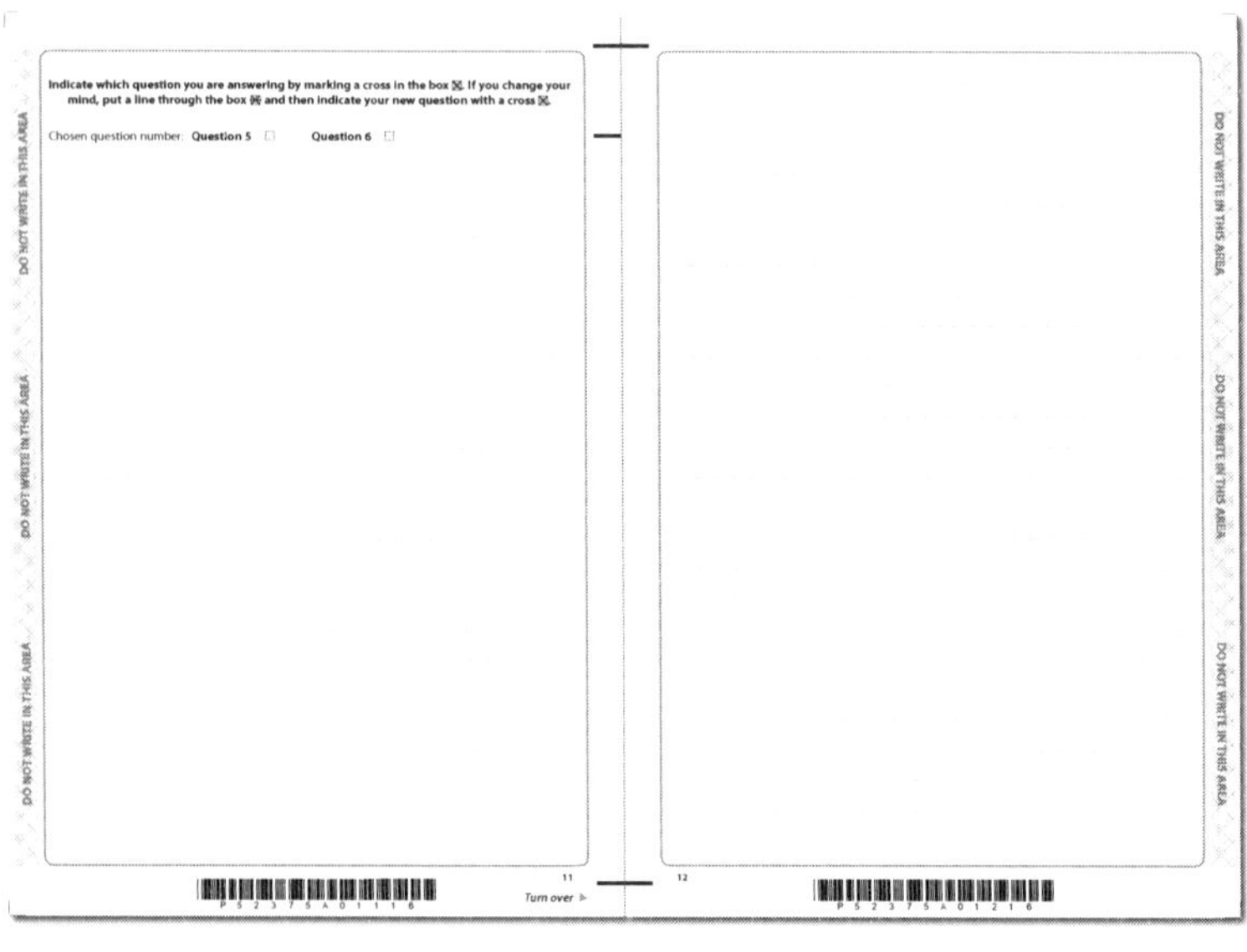

Indicate which question you are answering by marking a cross in the box ☒. If you change your mind, put a line through the box ☒ and then indicate your new question with a cross ☒.

Chosen question number: **Question 5** ☐ **Question 6** ☐

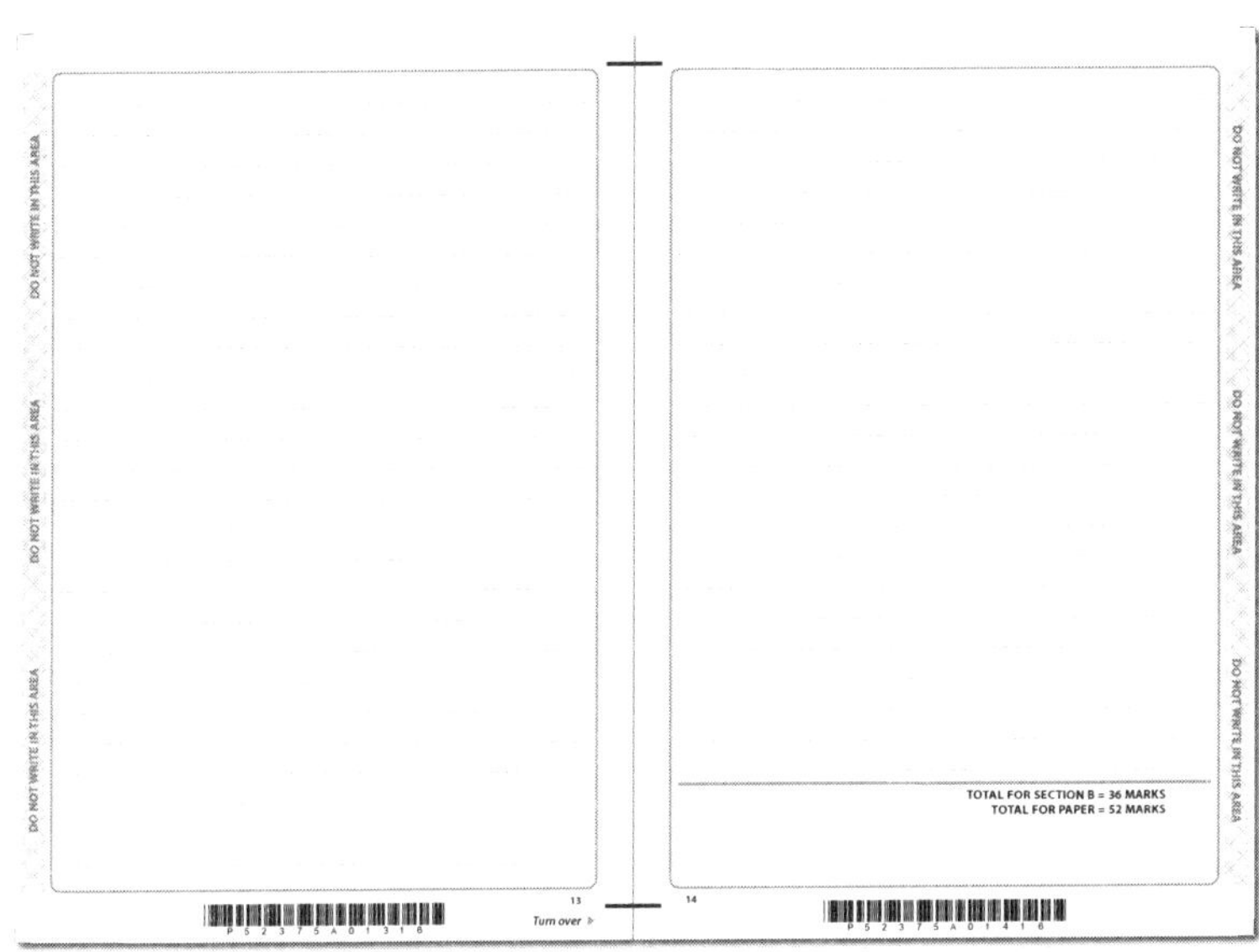
DO NOT WRITE IN THIS AREA
DO NOT WRITE IN THIS AREA
DO NOT WRITE IN THIS AREA

13
P 5 2 3 7 5 A 0 1 3 1 6
Turn over ▶

TOTAL FOR SECTION B = 36 MARKS
TOTAL FOR PAPER = 52 MARKS

DO NOT WRITE IN THIS AREA
DO NOT WRITE IN THIS AREA
DO NOT WRITE IN THIS AREA

14
P 5 2 3 7 5 A 0 1 4 1 6

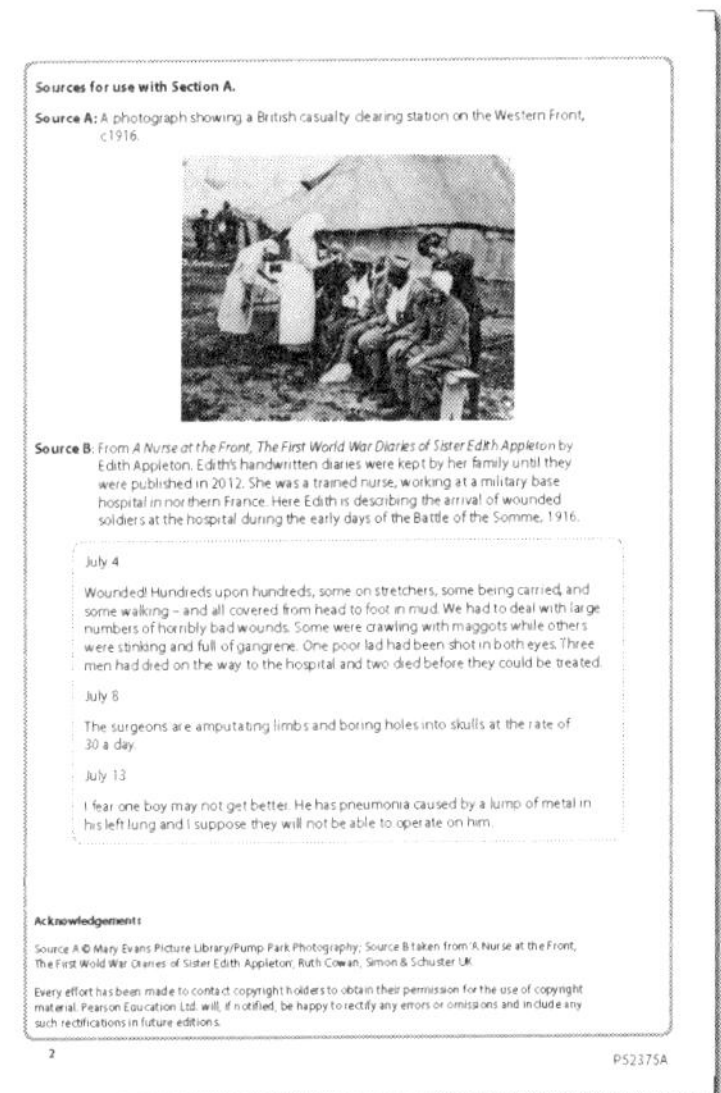
Sources for use with Section A.

Source A: A photograph showing a British casualty clearing station on the Western Front, c1916.

Source B: From *A Nurse at the Front, The First World War Diaries of Sister Edith Appleton* by Edith Appleton. Edith's handwritten diaries were kept by her family until they were published in 2012. She was a trained nurse, working at a military base hospital in northern France. Here Edith is describing the arrival of wounded soldiers at the hospital during the early days of the Battle of the Somme, 1916.

July 4

Wounded! Hundreds upon hundreds, some on stretchers, some being carried, and some walking – and all covered from head to foot in mud. We had to deal with large numbers of horribly bad wounds. Some were crawling with maggots while others were stinking and full of gangrene. One poor lad had been shot in both eyes. Three men had died on the way to the hospital and two died before they could be treated.

July 8

The surgeons are amputating limbs and boring holes into skulls at the rate of 30 a day.

July 13

I fear one boy may not get better. He has pneumonia caused by a lump of metal in his left lung and I suppose they will not be able to operate on him.

Acknowledgements

Source A © Mary Evans Picture Library/Pump Park Photography; Source B taken from 'A Nurse at the Front, The First Wold War Diaries of Sister Edith Appleton', Ruth Cowan, Simon & Schuster UK

Every effort has been made to contact copyright holders to obtain their permission for the use of copyright material. Pearson Education Ltd. will, if notified, be happy to rectify any errors or omissions and include any such rectifications in future editions.

2　　P52375A

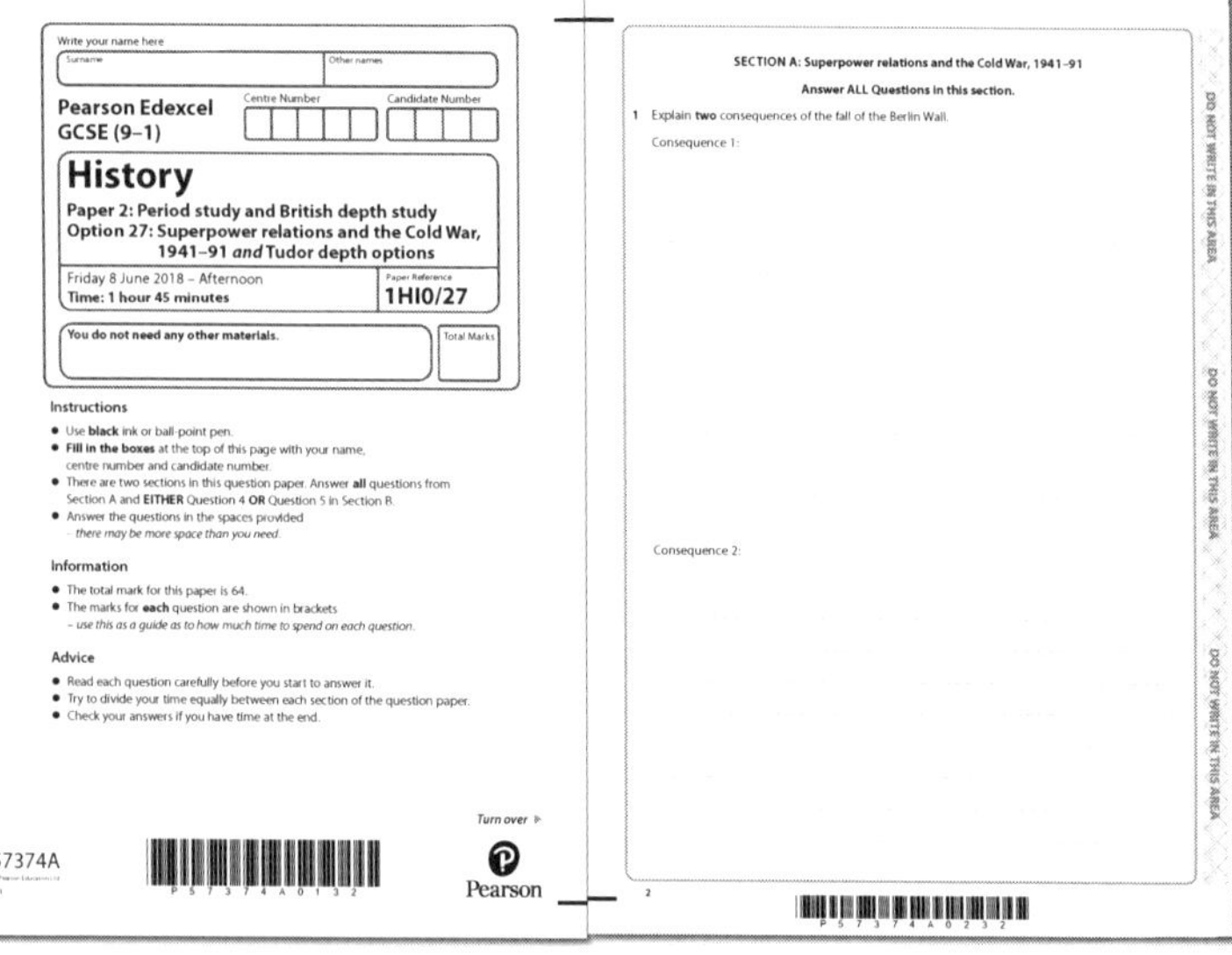

Write your name here

Surname | Other names

Pearson Edexcel GCSE (9–1)

Centre Number | Candidate Number

History

Paper 2: Period study and British depth study
Option 27: Superpower relations and the Cold War, 1941–91 *and* Tudor depth options

Friday 8 June 2018 – Afternoon
Time: 1 hour 45 minutes

Paper Reference **1HI0/27**

You do not need any other materials.

Total Marks

Instructions

- Use **black** ink or ball-point pen.
- **Fill in the boxes** at the top of this page with your name, centre number and candidate number.
- There are two sections in this question paper. Answer **all** questions from Section A and **EITHER** Question 4 **OR** Question 5 in Section B.
- Answer the questions in the spaces provided
  – *there may be more space than you need.*

Information

- The total mark for this paper is 64.
- The marks for **each** question are shown in brackets
  – *use this as a guide as to how much time to spend on each question.*

Advice

- Read each question carefully before you start to answer it.
- Try to divide your time equally between each section of the question paper.
- Check your answers if you have time at the end.

Turn over ▸

P57374A

Pearson

SECTION A: Superpower relations and the Cold War, 1941–91

Answer ALL Questions in this section.

1 Explain **two** consequences of the fall of the Berlin Wall.

Consequence 1:

Consequence 2:

DO NOT WRITE IN THIS AREA

2

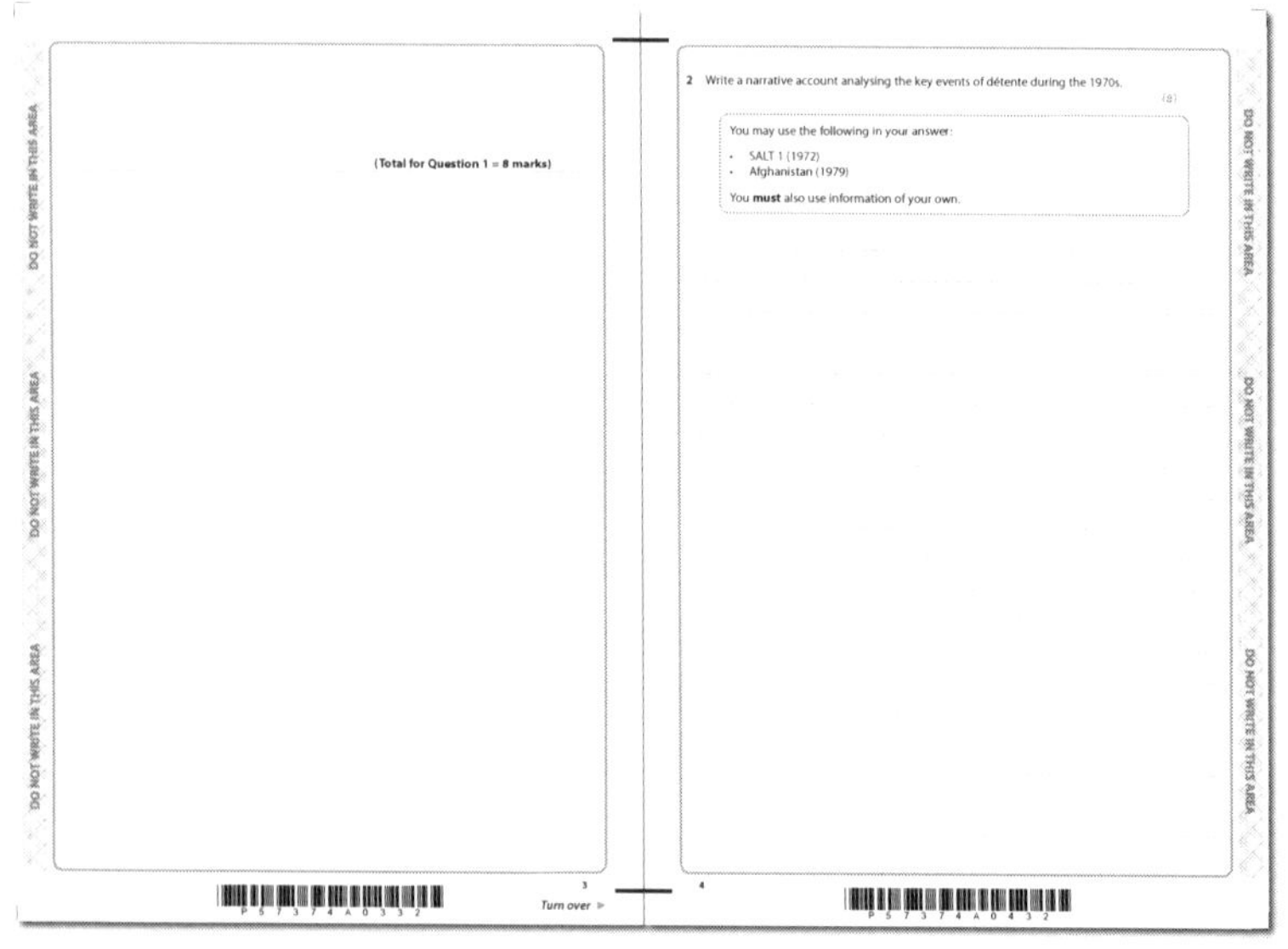

(Total for Question 1 = 8 marks)

DO NOT WRITE IN THIS AREA

3

Turn over ▸

2 Write a narrative account analysing the key events of détente during the 1970s.

(8)

You may use the following in your answer:

- SALT 1 (1972)
- Afghanistan (1979)

You **must** also use information of your own.

4

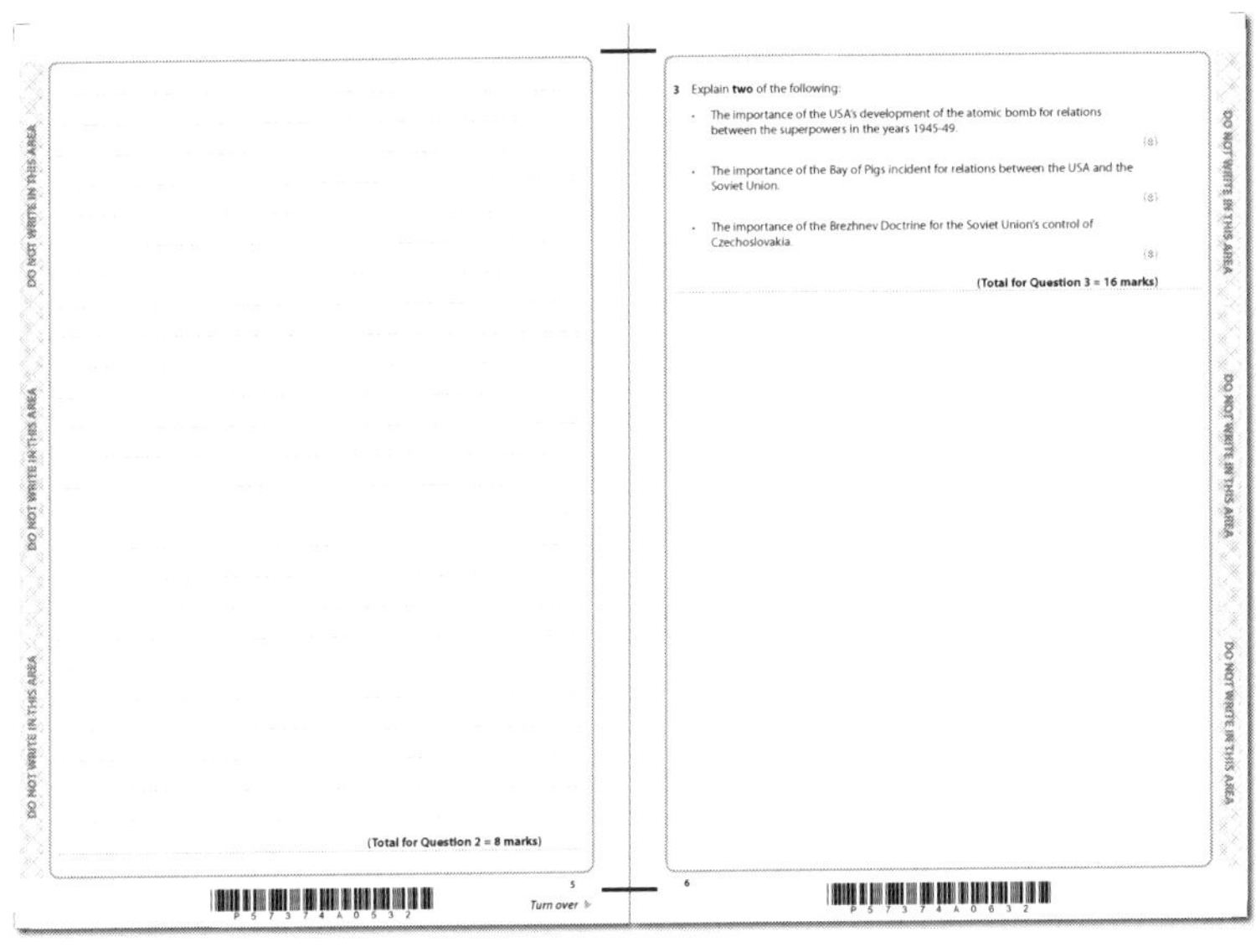

(Total for Question 2 = 8 marks)

5

P 5 7 3 7 4 A 0 5 3 2

Turn over

3 Explain **two** of the following:

- The importance of the USA's development of the atomic bomb for relations between the superpowers in the years 1945-49.
(8)
- The importance of the Bay of Pigs incident for relations between the USA and the Soviet Union.
(8)
- The importance of the Brezhnev Doctrine for the Soviet Union's control of Czechoslovakia.
(8)

(Total for Question 3 = 16 marks)

6

P 5 7 3 7 4 A 0 6 3 2

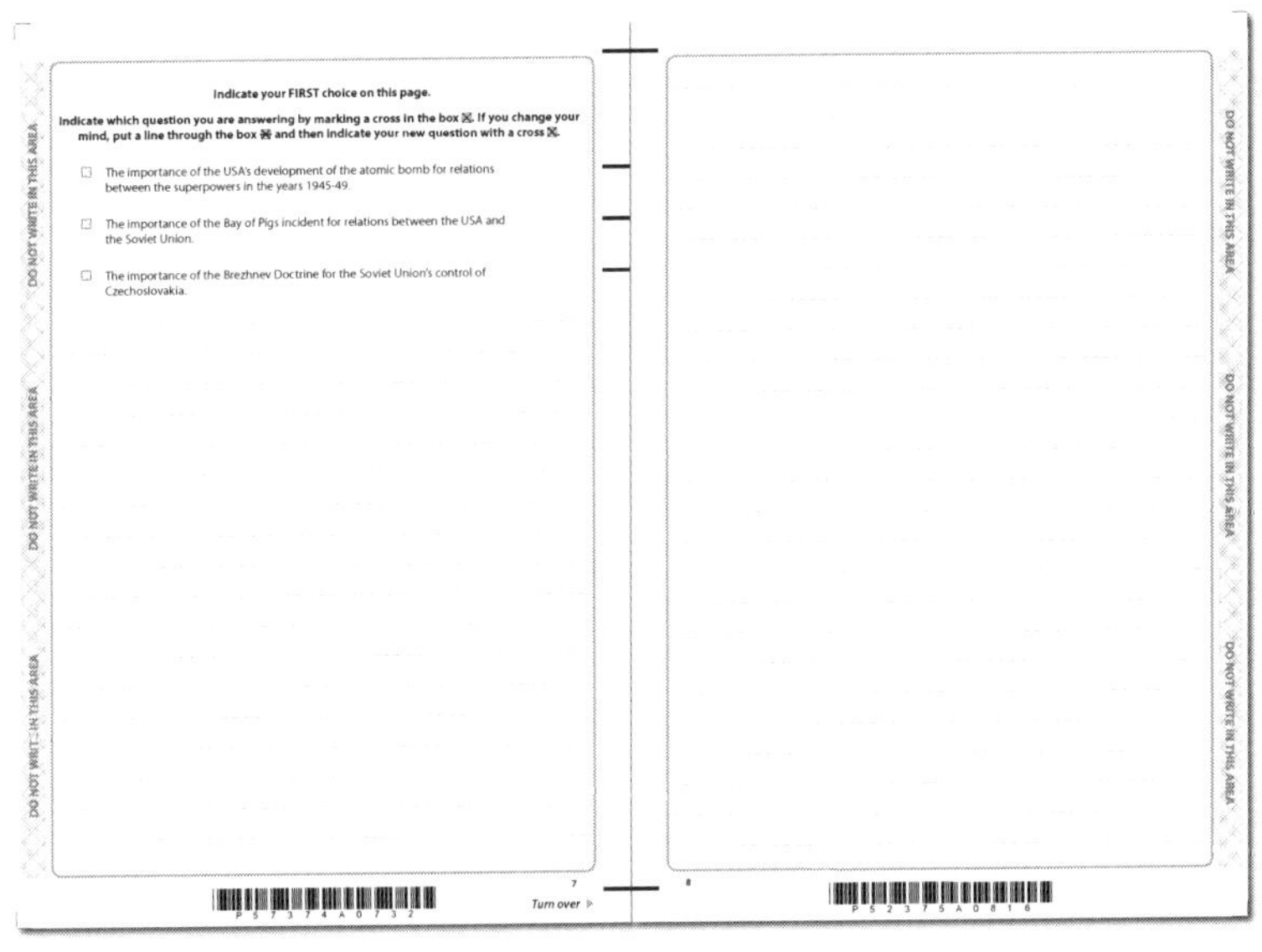

Indicate your FIRST choice on this page.

Indicate which question you are answering by marking a cross in the box ☒. If you change your mind, put a line through the box ☒ and then indicate your new question with a cross ☒.

☐ The importance of the USA's development of the atomic bomb for relations between the superpowers in the years 1945-49.

☐ The importance of the Bay of Pigs incident for relations between the USA and the Soviet Union.

☐ The importance of the Brezhnev Doctrine for the Soviet Union's control of Czechoslovakia.

7

P 5 7 3 7 4 A 0 7 3 2

Turn over

8

P 5 2 3 7 5 A 0 8 1 6

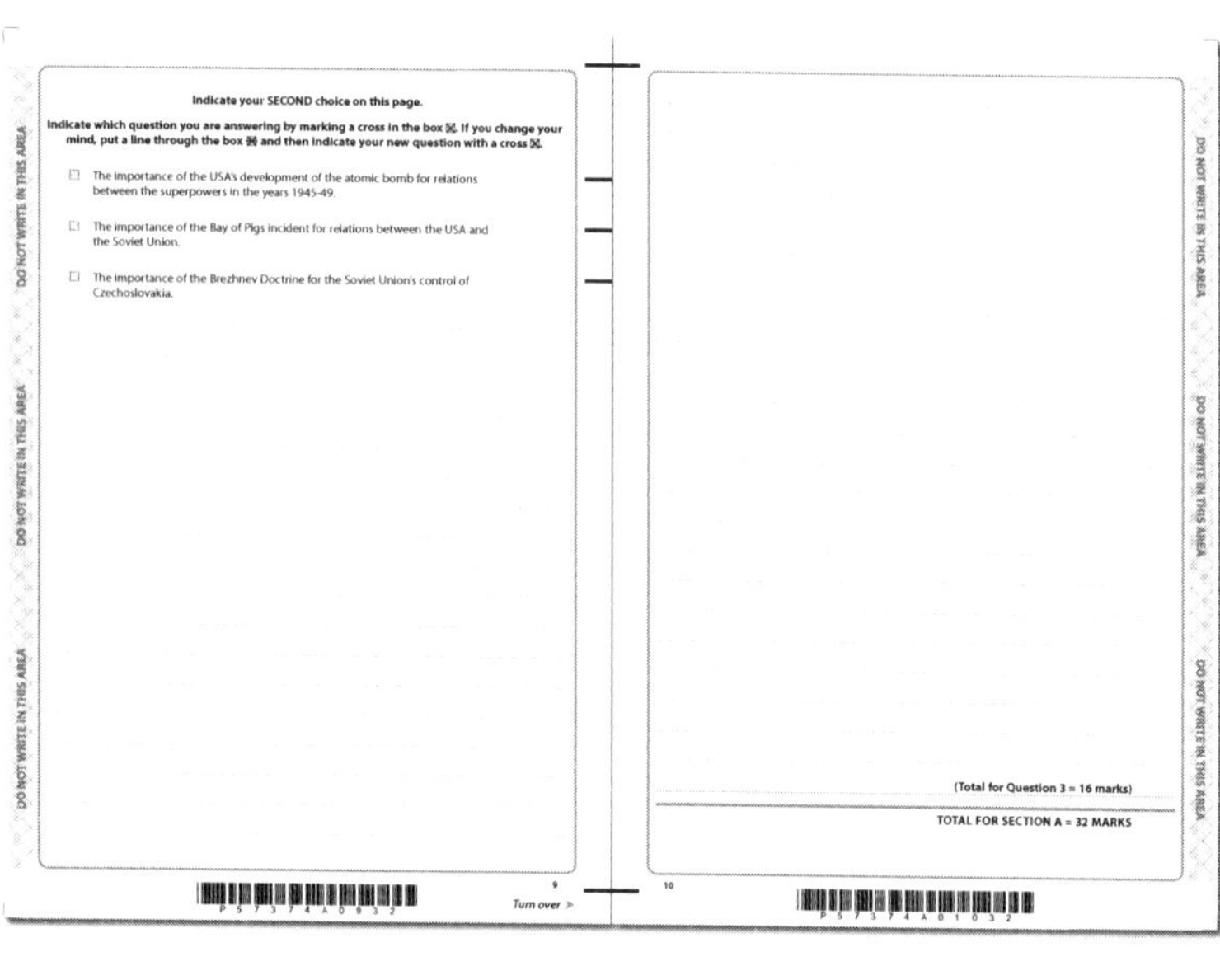

Indicate your SECOND choice on this page.

Indicate which question you are answering by marking a cross in the box ☒. If you change your mind, put a line through the box ☒ and then indicate your new question with a cross ☒.

☐ The importance of the USA's development of the atomic bomb for relations between the superpowers in the years 1945-49.

☐ The importance of the Bay of Pigs incident for relations between the USA and the Soviet Union.

☐ The importance of the Brezhnev Doctrine for the Soviet Union's control of Czechoslovakia.

9

Turn over ▸

P 5 7 3 7 4 A 0 9 3 2

(Total for Question 3 = 16 marks)

TOTAL FOR SECTION A = 32 MARKS

10

P 5 7 3 7 4 A 0 1 0 3 2

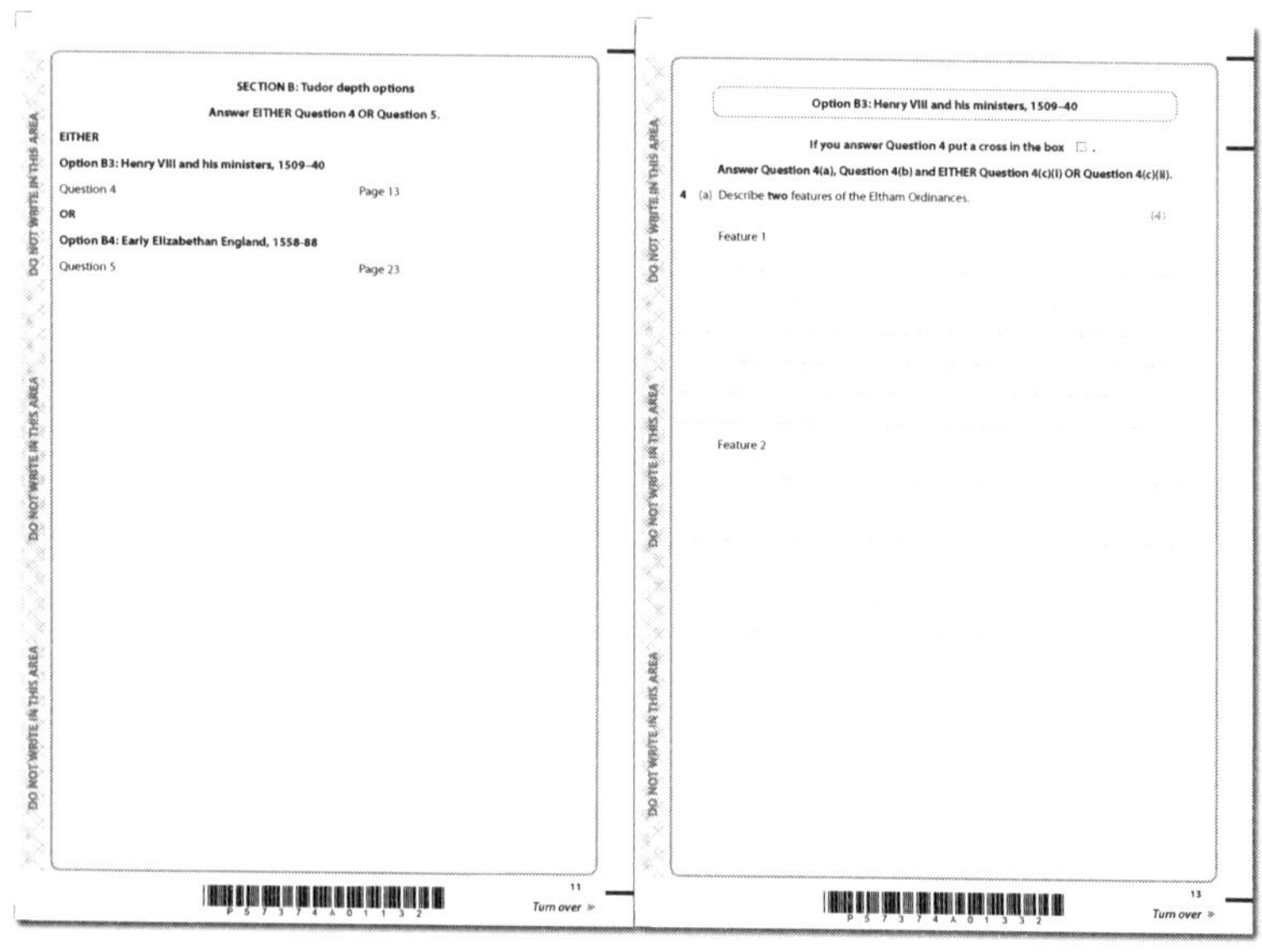

SECTION B: Tudor depth options

Answer EITHER Question 4 OR Question 5.

EITHER

Option B3: Henry VIII and his ministers, 1509–40

Question 4 Page 13

OR

Option B4: Early Elizabethan England, 1558–88

Question 5 Page 23

11

Turn over ▸

P 5 7 3 7 4 A 0 1 1 3 2

Option B3: Henry VIII and his ministers, 1509–40

If you answer Question 4 put a cross in the box ☐.

Answer Question 4(a), Question 4(b) and EITHER Question 4(c)(i) OR Question 4(c)(ii).

4 (a) Describe **two** features of the Eltham Ordinances.

(4)

Feature 1

Feature 2

13

Turn over ▸

P 5 7 3 7 4 A 0 1 3 3 2

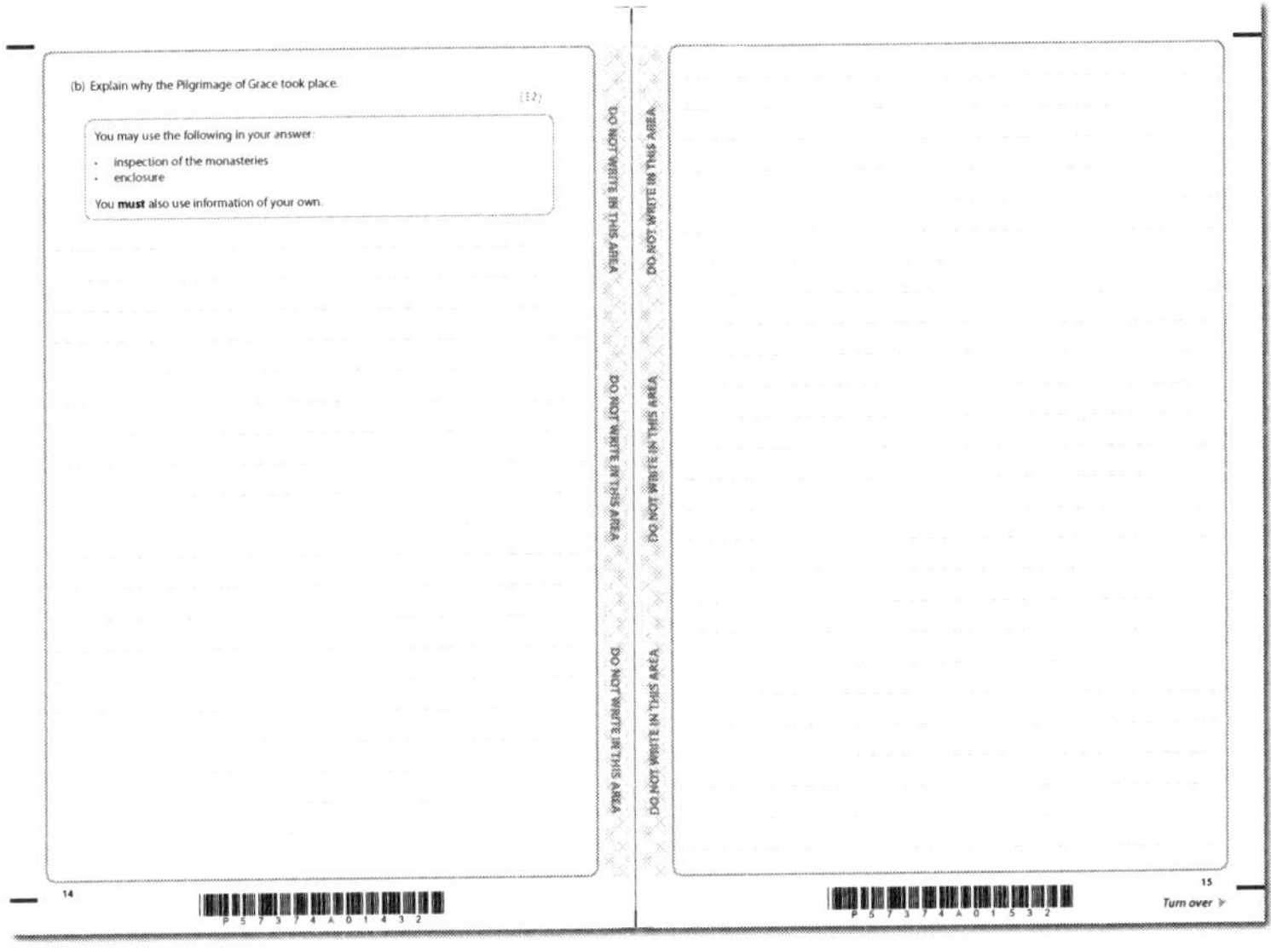
(b) Explain why the Pilgrimage of Grace took place.

(12)

You may use the following in your answer:

- inspection of the monasteries
- enclosure

You **must** also use information of your own.

DO NOT WRITE IN THIS AREA

14

P 5 7 3 7 4 A 0 1 4 3 2

15

P 5 7 3 7 4 A 0 1 5 3 2

Turn over

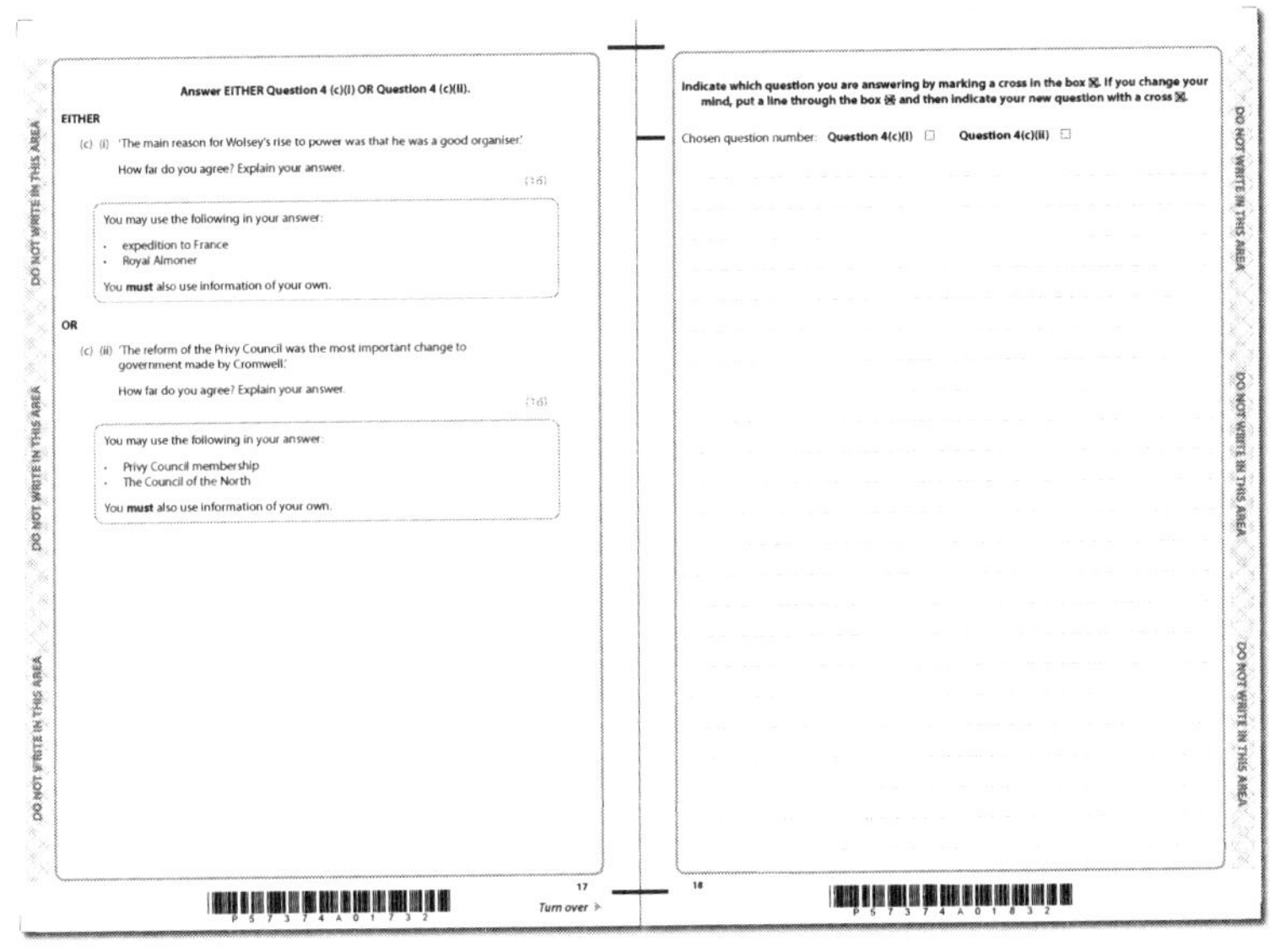
Answer EITHER Question 4 (c)(i) OR Question 4 (c)(ii).

EITHER

(c) (i) 'The main reason for Wolsey's rise to power was that he was a good organiser.'

How far do you agree? Explain your answer.

(16)

You may use the following in your answer:

- expedition to France
- Royal Almoner

You **must** also use information of your own.

OR

(c) (ii) 'The reform of the Privy Council was the most important change to government made by Cromwell.'

How far do you agree? Explain your answer.

(16)

You may use the following in your answer:

- Privy Council membership
- The Council of the North

You **must** also use information of your own.

DO NOT WRITE IN THIS AREA

17

P 5 7 3 7 4 A 0 1 7 3 2

Turn over

Indicate which question you are answering by marking a cross in the box ☒. If you change your mind, put a line through the box ☒ and then indicate your new question with a cross ☒.

Chosen question number: **Question 4(c)(i)** ☐ **Question 4(c)(ii)** ☐

18

P 5 7 3 7 4 A 0 1 8 3 2

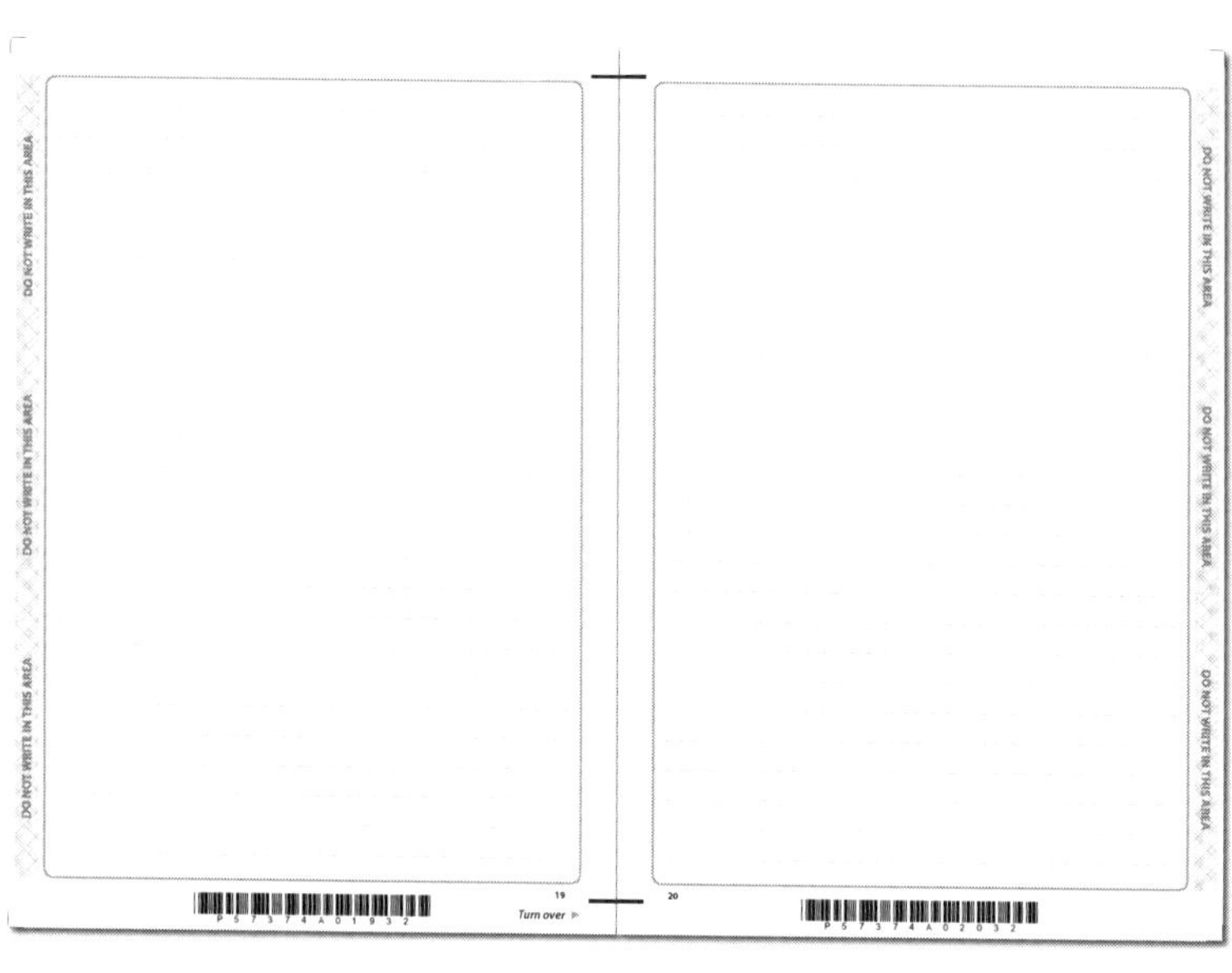
DO NOT WRITE IN THIS AREA
19
Turn over
20

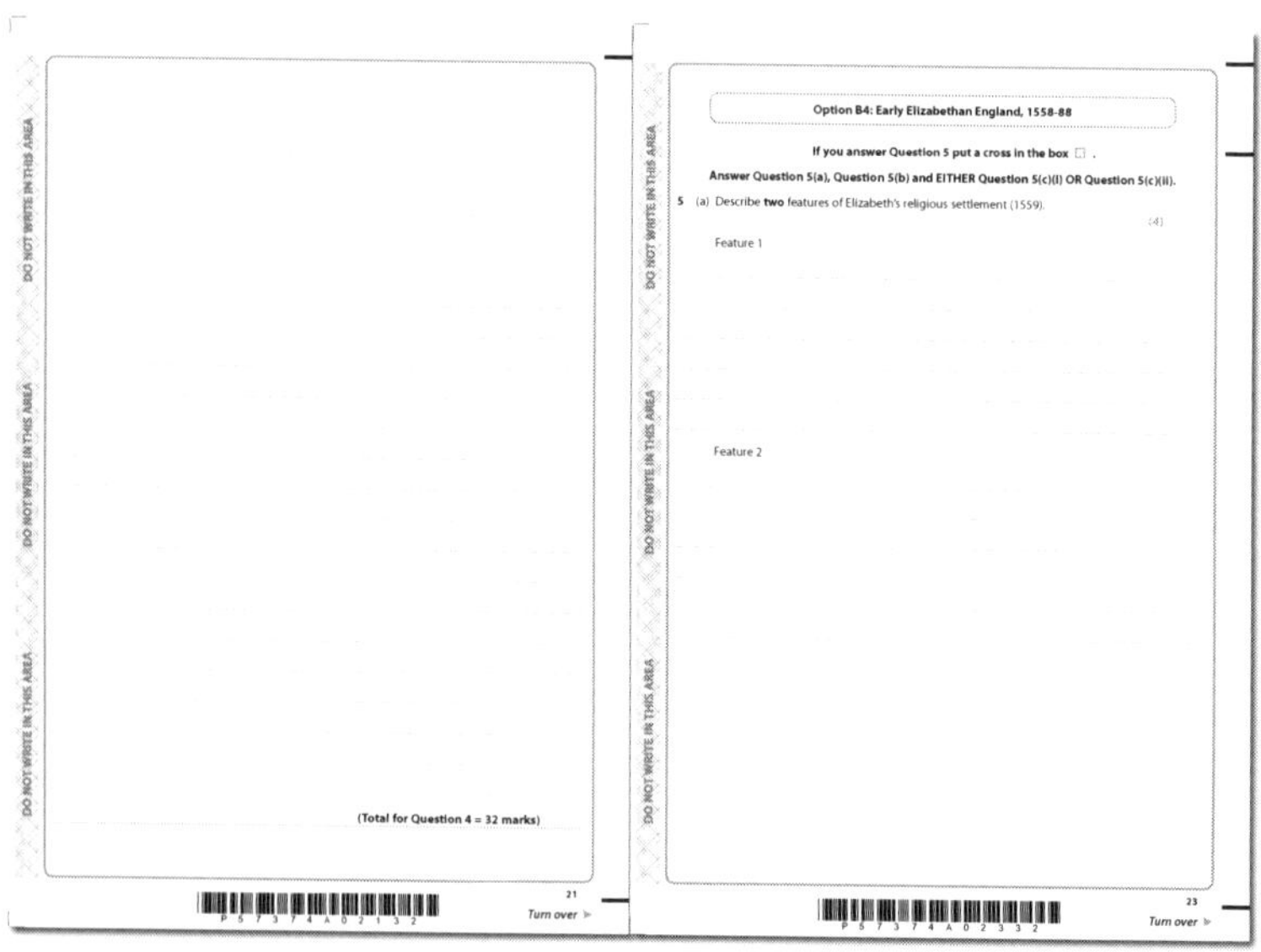
(Total for Question 4 = 32 marks)
21
Turn over
Option B4: Early Elizabethan England, 1558-88
If you answer Question 5 put a cross in the box
Answer Question 5(a), Question 5(b) and EITHER Question 5(c)(i) OR Question 5(c)(ii).
5 (a) Describe two features of Elizabeth's religious settlement (1559).
(4)
Feature 1
Feature 2
DO NOT WRITE IN THIS AREA
23
Turn over

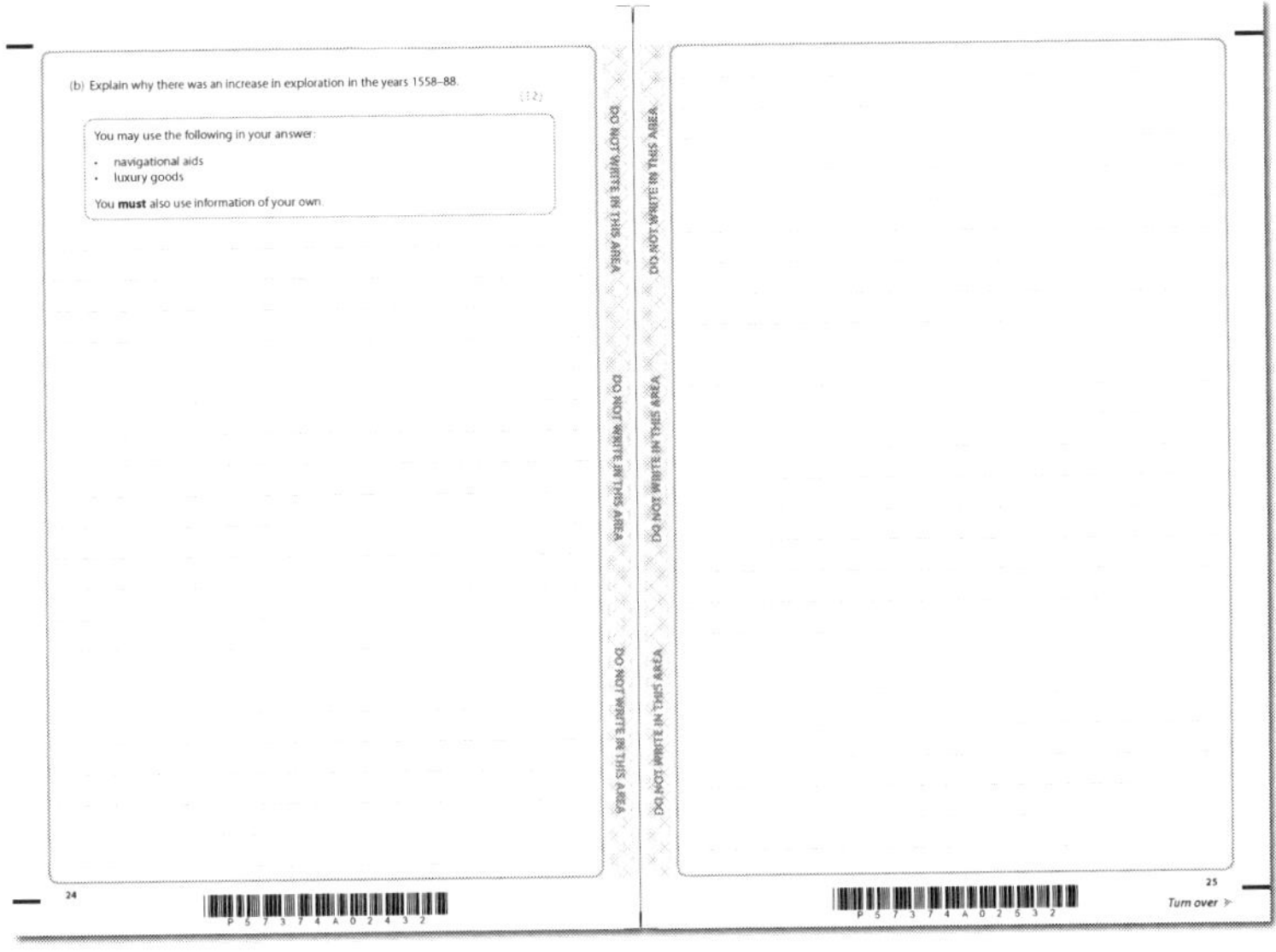

(b) Explain why there was an increase in exploration in the years 1558–88.

(12)

You may use the following in your answer:

- navigational aids
- luxury goods

You **must** also use information of your own.

DO NOT WRITE IN THIS AREA

24

P 5 7 3 7 4 A 0 2 4 3 2

25

P 5 7 3 7 4 A 0 2 5 3 2

Turn over

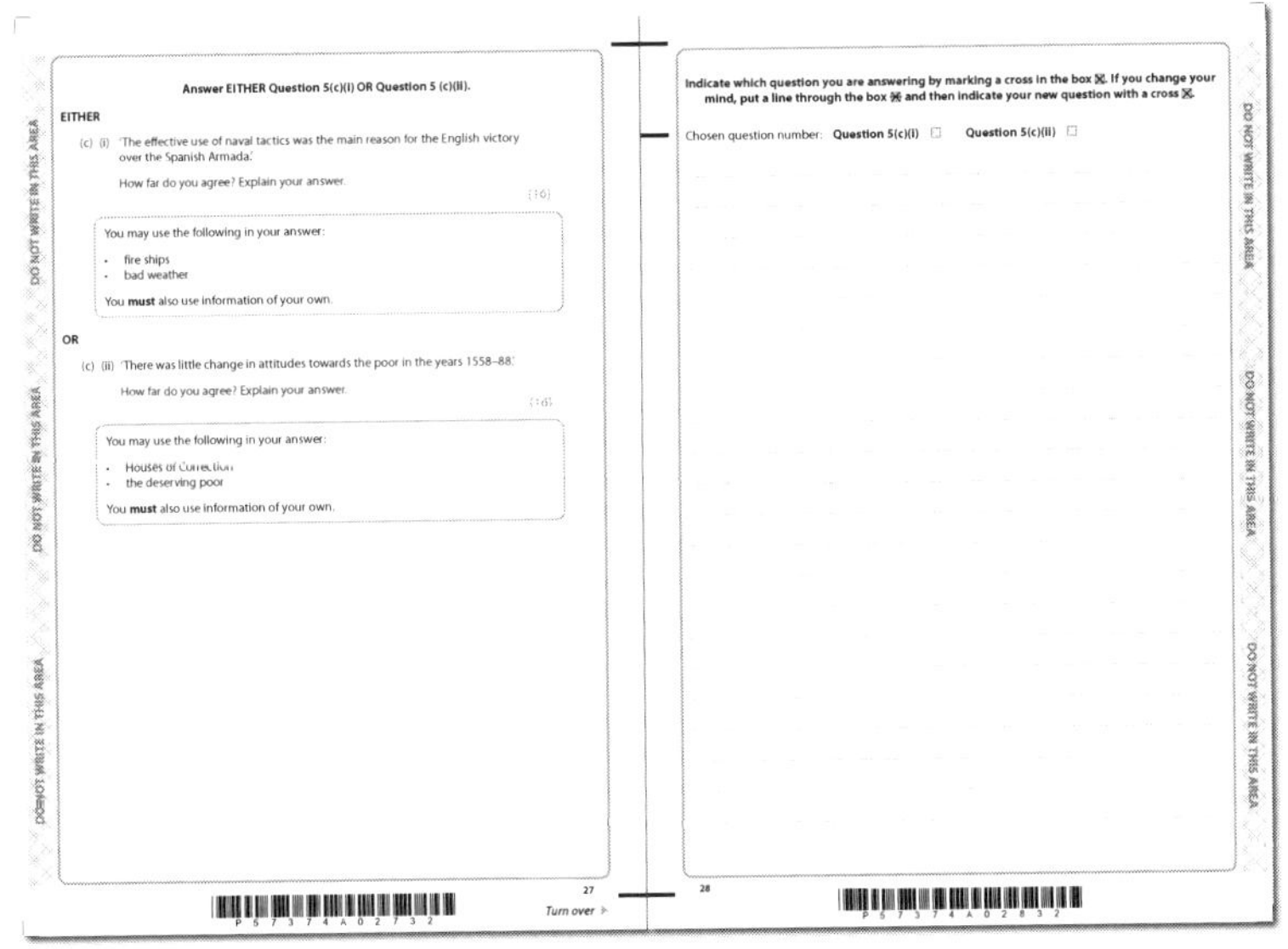

Answer EITHER Question 5(c)(i) OR Question 5 (c)(ii).

EITHER

(c) (i) 'The effective use of naval tactics was the main reason for the English victory over the Spanish Armada.'

How far do you agree? Explain your answer.

(16)

You may use the following in your answer:

- fire ships
- bad weather

You **must** also use information of your own.

OR

(c) (ii) 'There was little change in attitudes towards the poor in the years 1558–88.'

How far do you agree? Explain your answer.

(16)

You may use the following in your answer:

- Houses of Correction
- the deserving poor

You **must** also use information of your own.

DO NOT WRITE IN THIS AREA

27

P 5 7 3 7 4 A 0 2 7 3 2

Turn over

Indicate which question you are answering by marking a cross in the box ☒. If you change your mind, put a line through the box ☒ and then indicate your new question with a cross ☒.

Chosen question number: **Question 5(c)(i)** ☐ **Question 5(c)(ii)** ☐

28

P 5 7 3 7 4 A 0 2 8 3 2

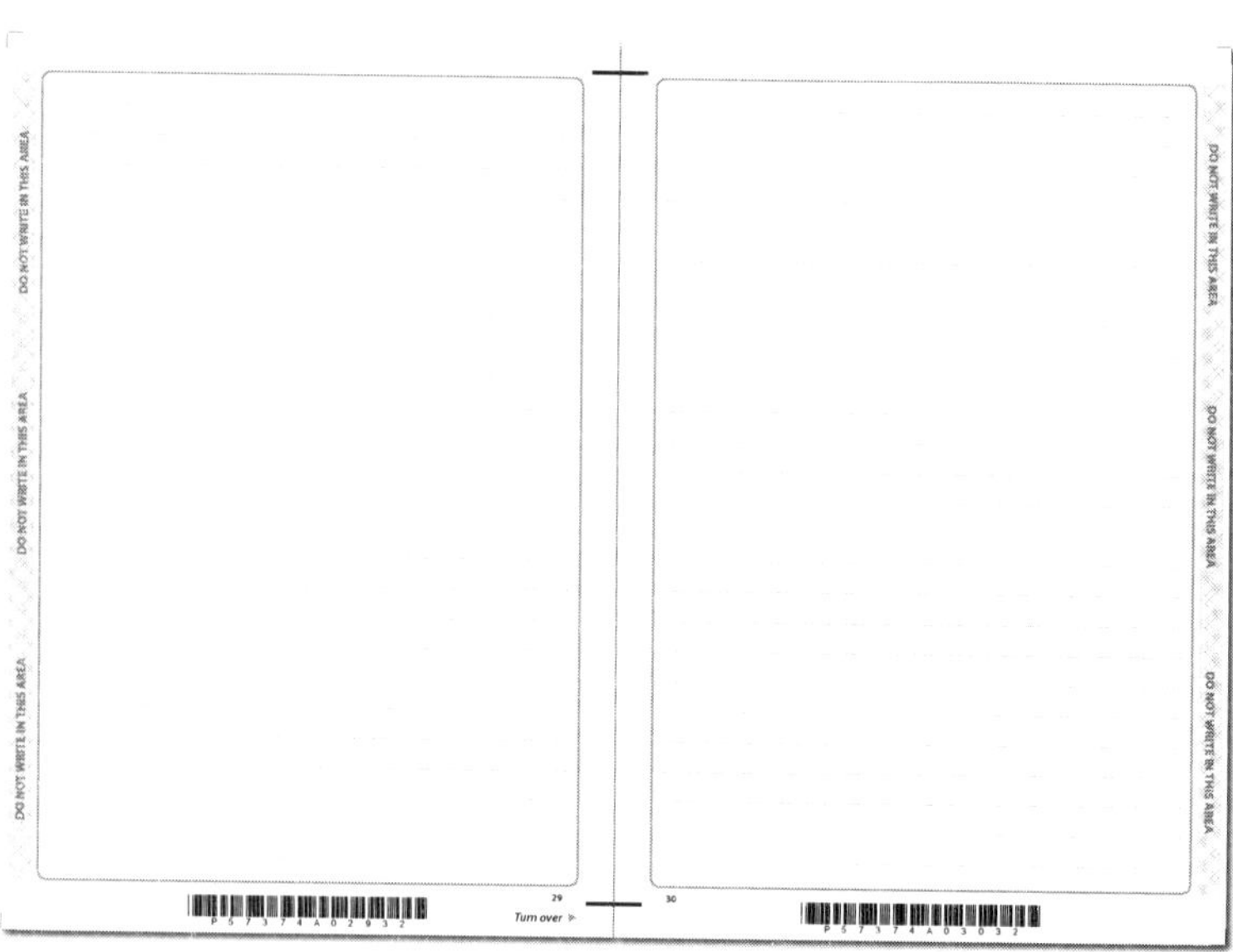

DO NOT WRITE IN THIS AREA

29

Turn over

30

DO NOT WRITE IN THIS AREA

(Total for Question 5 = 32 marks)

TOTAL FOR SECTION B = 32 MARKS

TOTAL FOR PAPER = 64 MARKS

31

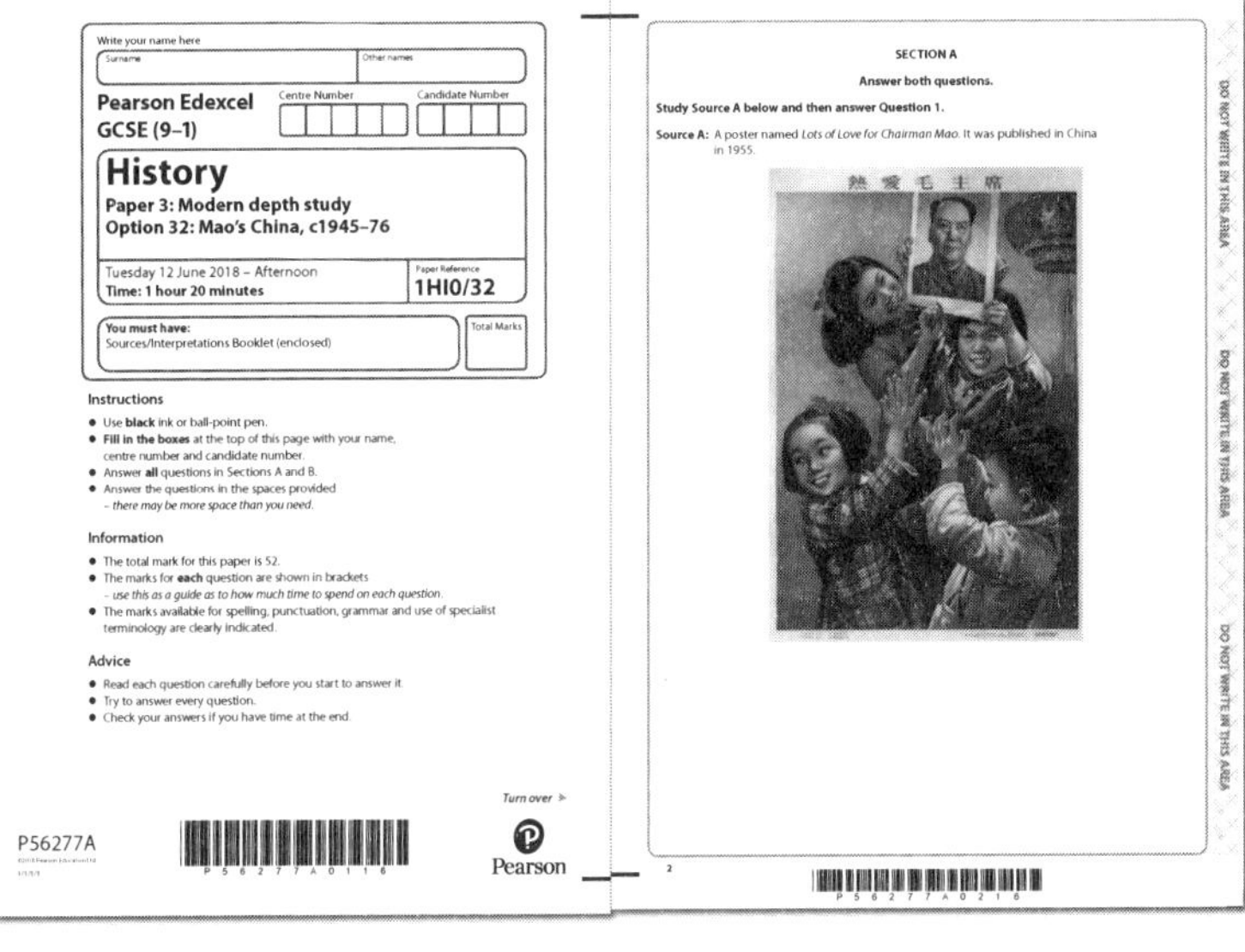

Write your name here

Surname | Other names

Pearson Edexcel GCSE (9–1)

Centre Number | Candidate Number

History

Paper 3: Modern depth study
Option 32: Mao's China, c1945–76

Tuesday 12 June 2018 – Afternoon
Time: 1 hour 20 minutes

Paper Reference **1HI0/32**

You must have:
Sources/Interpretations Booklet (enclosed)

Total Marks

Instructions

- Use **black** ink or ball-point pen.
- **Fill in the boxes** at the top of this page with your name, centre number and candidate number.
- Answer **all** questions in Sections A and B.
- Answer the questions in the spaces provided – *there may be more space than you need.*

Information

- The total mark for this paper is 52.
- The marks for **each** question are shown in brackets – *use this as a guide as to how much time to spend on each question.*
- The marks available for spelling, punctuation, grammar and use of specialist terminology are clearly indicated.

Advice

- Read each question carefully before you start to answer it.
- Try to answer every question.
- Check your answers if you have time at the end.

Turn over ▸

P56277A

Pearson

SECTION A

Answer both questions.

Study Source A below and then answer Question 1.

Source A: A poster named *Lots of Love for Chairman Mao.* It was published in China in 1955.

2

DO NOT WRITE IN THIS AREA

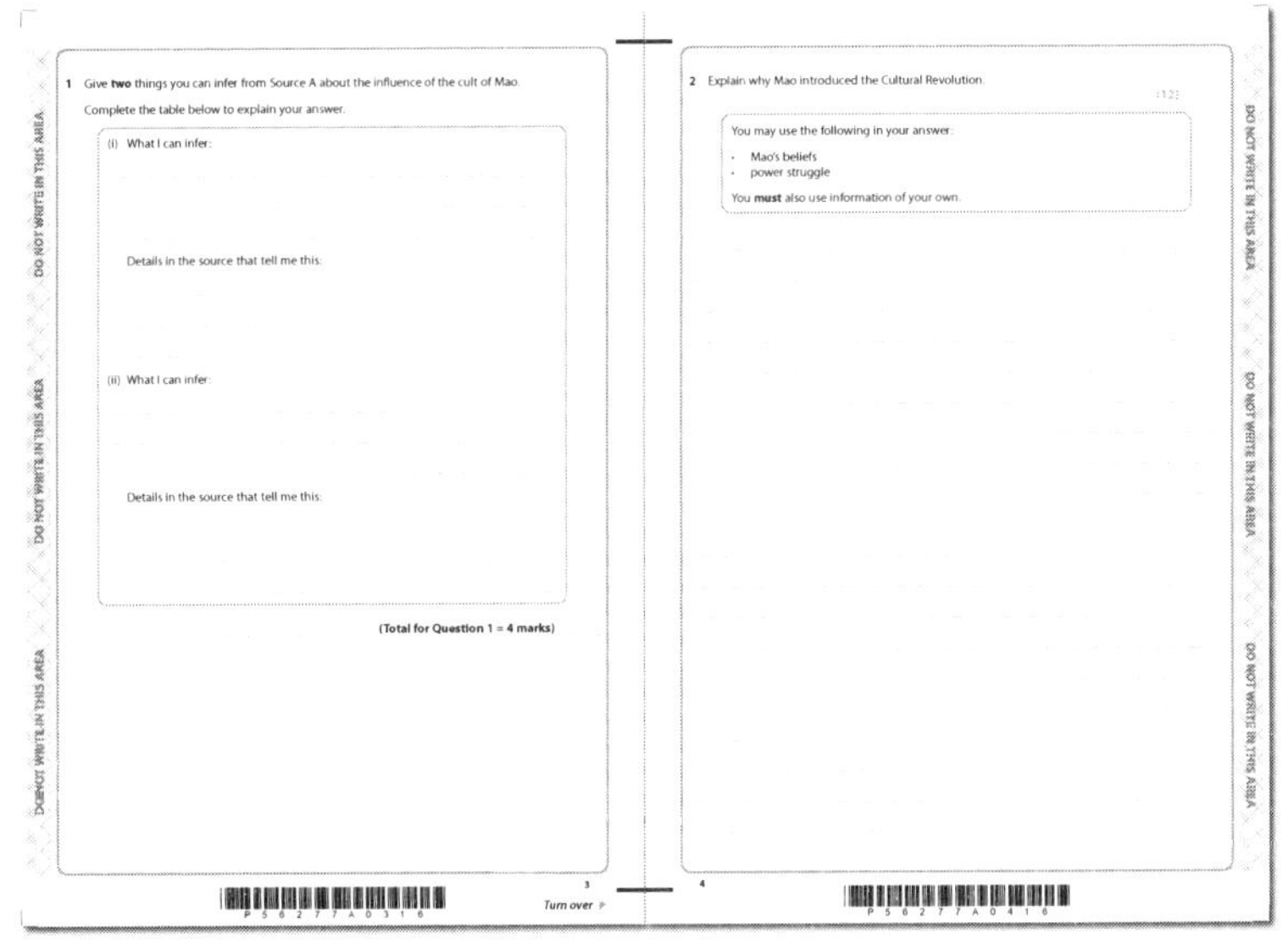

1 Give **two** things you can infer from Source A about the influence of the cult of Mao.

Complete the table below to explain your answer.

(i) What I can infer:

Details in the source that tell me this:

(ii) What I can infer:

Details in the source that tell me this:

(Total for Question 1 = 4 marks)

3

Turn over ▸

2 Explain why Mao introduced the Cultural Revolution.

(12)

You may use the following in your answer:

- Mao's beliefs
- power struggle

You **must** also use information of your own.

4

DO NOT WRITE IN THIS AREA

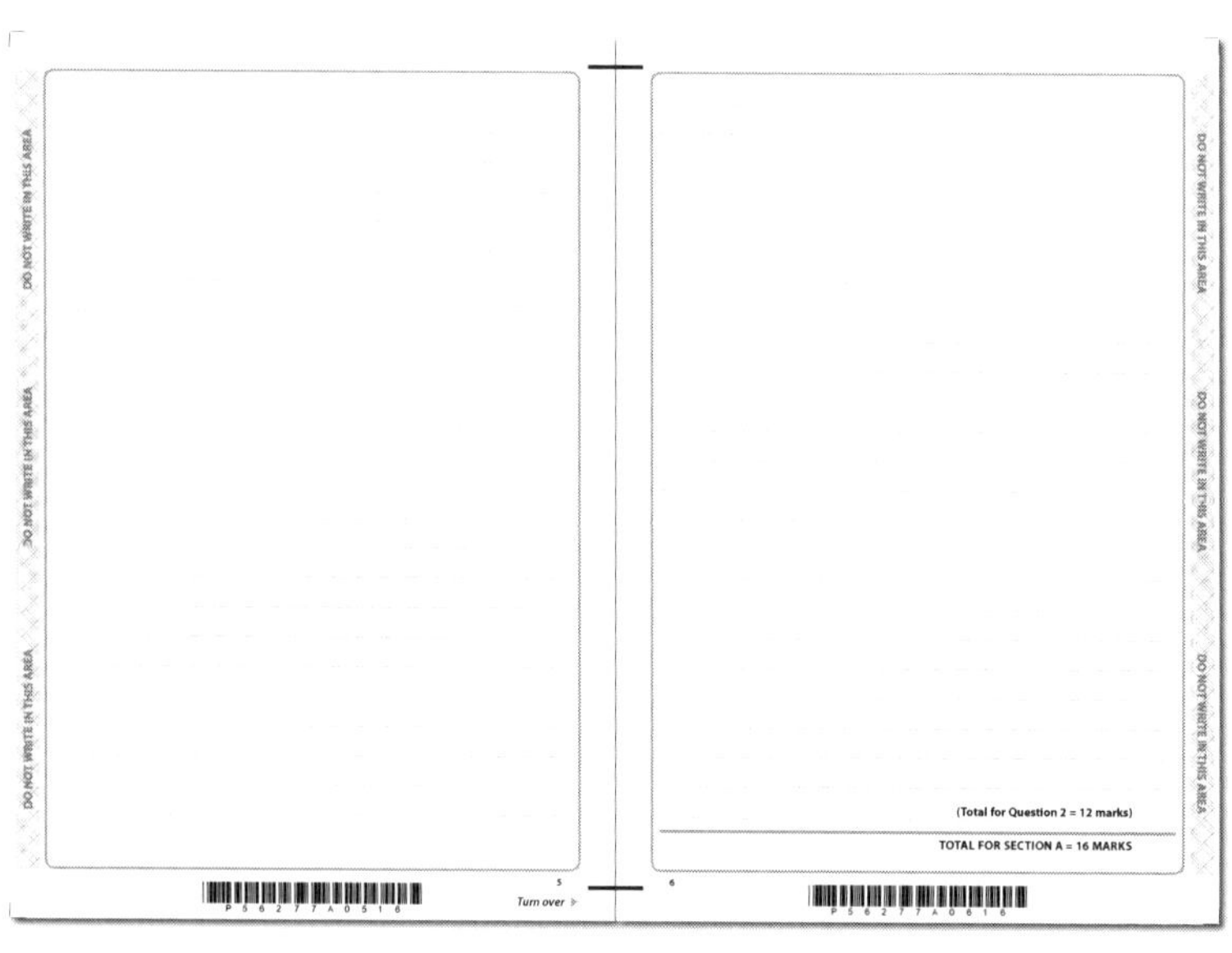

DO NOT WRITE IN THIS AREA

(Total for Question 2 = 12 marks)

TOTAL FOR SECTION A = 16 MARKS

5 Turn over

6

P 5 6 2 7 7 A 0 5 1 6

P 5 6 2 7 7 A 0 6 1 6

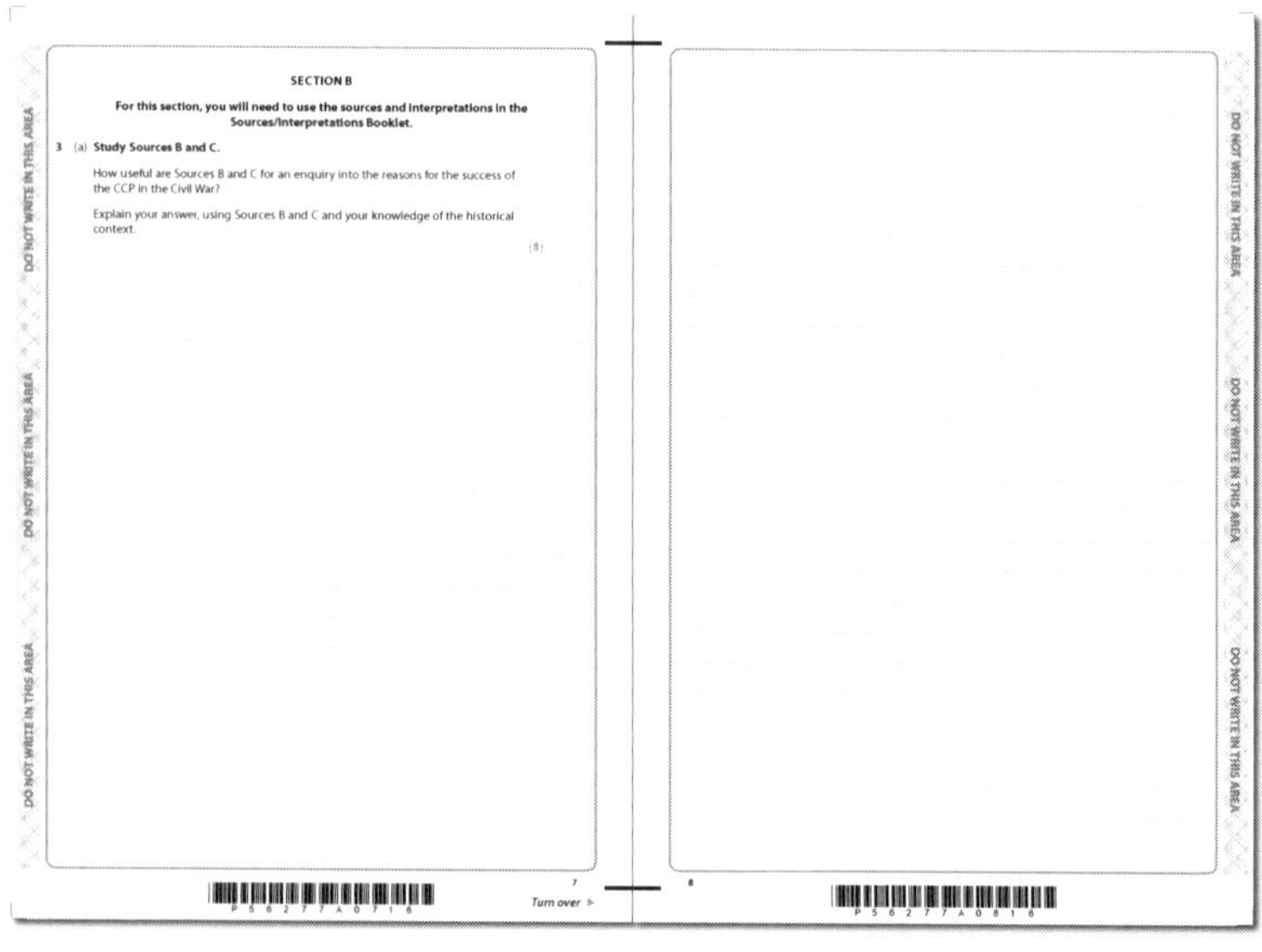

SECTION B

For this section, you will need to use the sources and interpretations in the Sources/Interpretations Booklet.

3 (a) **Study Sources B and C.**

How useful are Sources B and C for an enquiry into the reasons for the success of the CCP in the Civil War?

Explain your answer, using Sources B and C and your knowledge of the historical context.

(8)

DO NOT WRITE IN THIS AREA

7 Turn over

8

P 5 6 2 7 7 A 0 7 1 6

P 5 6 2 7 7 A 0 8 1 6

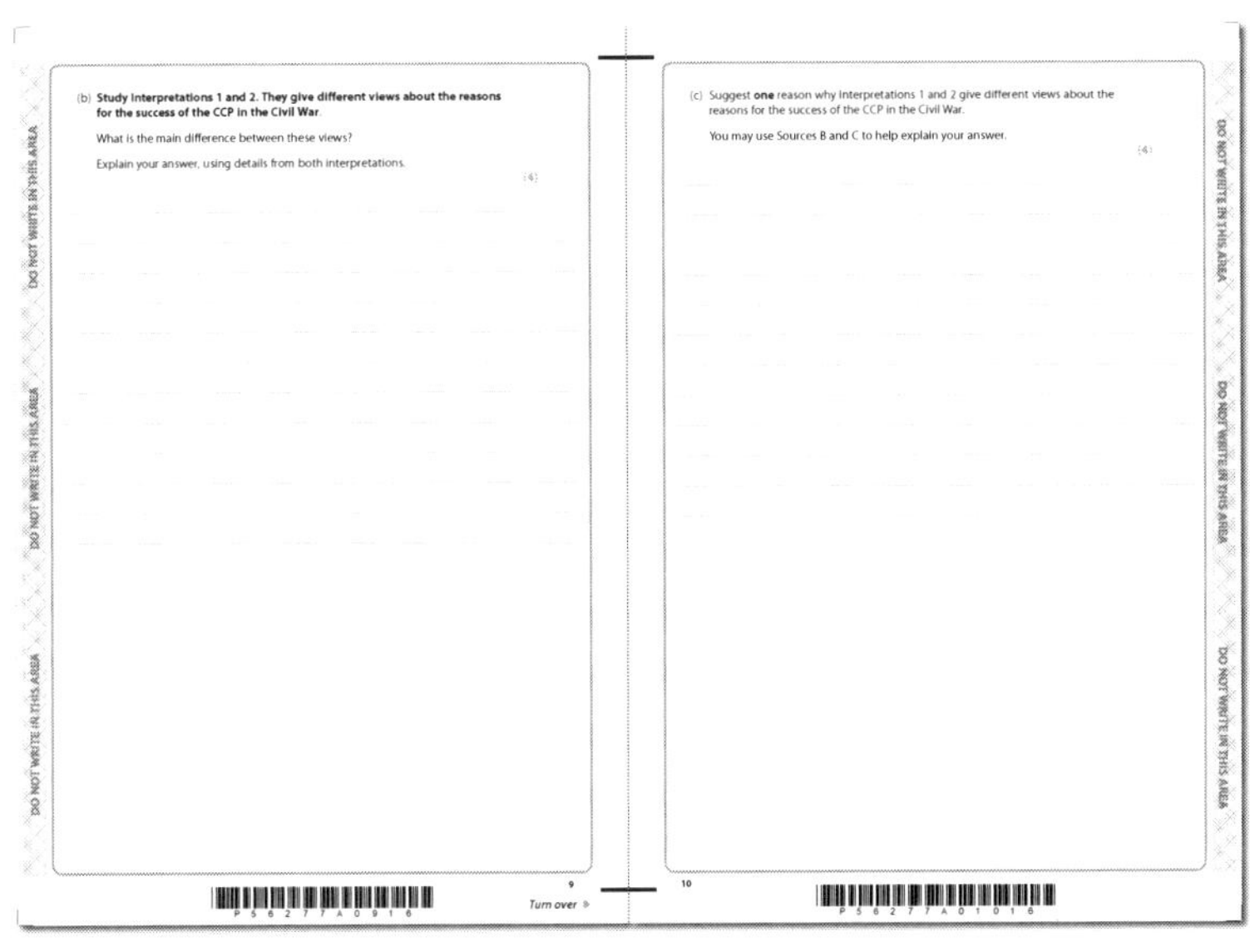

DO NOT WRITE IN THIS AREA

(b) **Study Interpretations 1 and 2. They give different views about the reasons for the success of the CCP in the Civil War.**

What is the main difference between these views?

Explain your answer, using details from both interpretations.

(4)

9

P 5 6 2 7 7 A 0 9 1 6

Turn over ▸

(c) Suggest **one** reason why Interpretations 1 and 2 give different views about the reasons for the success of the CCP in the Civil War.

You may use Sources B and C to help explain your answer.

(4)

10

P 5 6 2 7 7 A 0 1 0 1 6

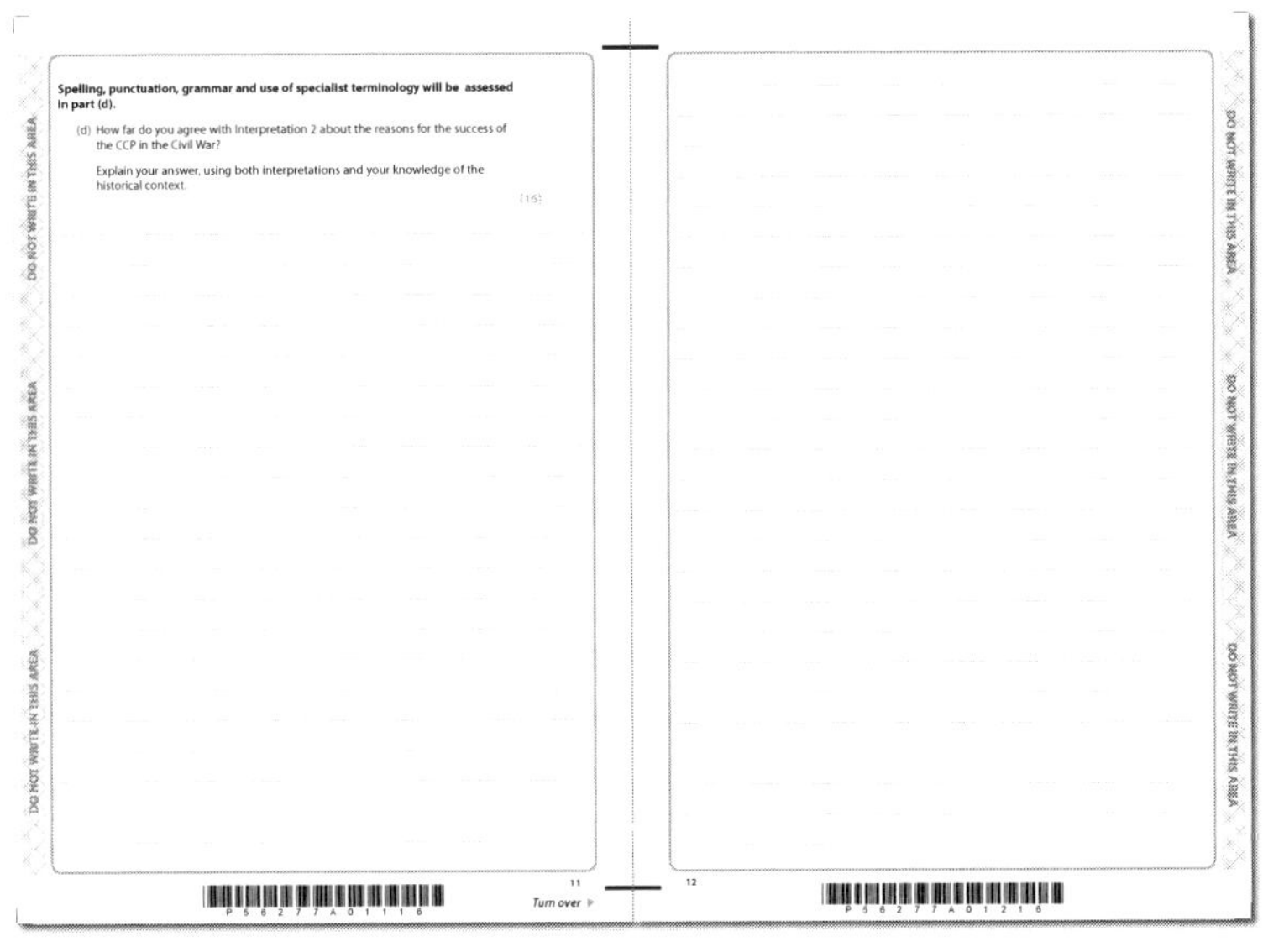

DO NOT WRITE IN THIS AREA

Spelling, punctuation, grammar and use of specialist terminology will be assessed in part (d).

(d) How far do you agree with Interpretation 2 about the reasons for the success of the CCP in the Civil War?

Explain your answer, using both interpretations and your knowledge of the historical context.

(15)

11

P 5 6 2 7 7 A 0 1 1 1 6

Turn over ▸

12

P 5 6 2 7 7 A 0 1 2 1 6

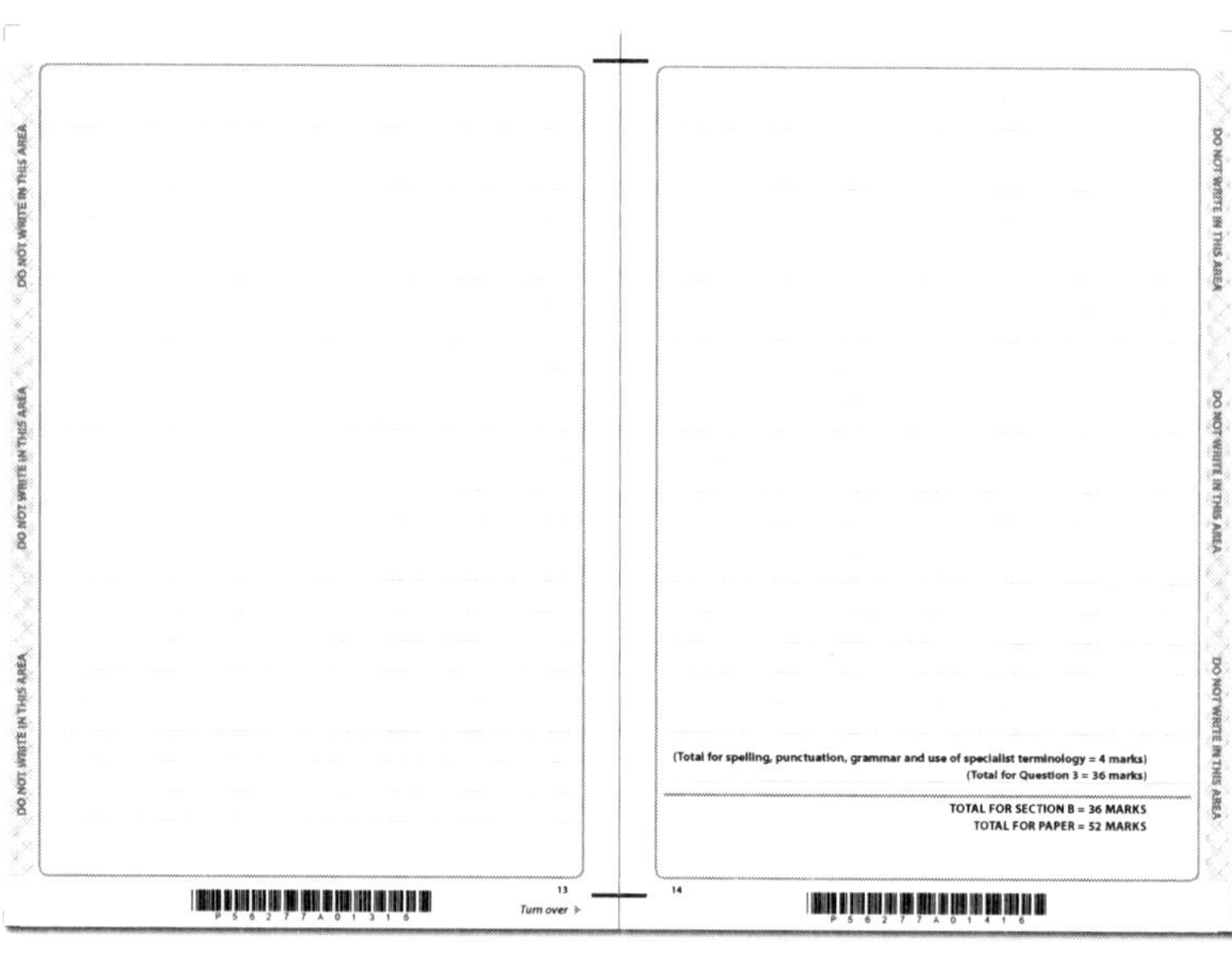

DO NOT WRITE IN THIS AREA

(Total for spelling, punctuation, grammar and use of specialist terminology = 4 marks)

(Total for Question 3 = 36 marks)

TOTAL FOR SECTION B = 36 MARKS

TOTAL FOR PAPER = 52 MARKS

13 Turn over

14

P 5 6 2 7 7 A 0 1 3 1 6

P 5 6 2 7 7 A 0 1 4 1 6

Sources/Interpretations for use with Section B.

Source B: From a speech made by Mao Zedong on 1 October 1949. Here he is announcing the establishment of the People's Republic of China.

> The people supported our People's Liberation Army in defending the Chinese motherland. The People's Liberation Army fought like heroes to protect people's rights and property and to stop the suffering of the people. Together the People's Liberation Army and the people have eliminated the Guomindang troops and overthrown the reactionary rule of the Guomindang government. Now the war of the people's liberation has been won and the majority of the people have been freed.

Source C: From a letter written by the American Secretary of State for Foreign Affairs to the President of the USA in 1949. The letter was published in American newspapers. The author is commenting on the Chinese Civil War, during which the USA supported the Guomindang.

> During the significant year of 1948, the Guomindang lost every battle even though they had enough arms and ammunition. In fact, we had observed many problems with the Guomindang early in the war. These problems made it impossible for the Guomindang to resist the CCP.
>
> The Guomindang leaders had proved incapable of dealing with the crisis facing them. Guomindang troops no longer wanted to fight and their government had lost the support of the people. The Communists, on the other hand, had strong discipline and fanatical enthusiasm. They also attempted to sell themselves as protectors and liberators of the people.

Interpretation 1: From *Mao: A Very Short Introduction* by D Davin, published 2013.

> The Guomindang was disunited, incompetent and corrupt. It was unable to win despite large amounts of American government aid. Inflation and financial scandals made the Guomindang increasingly unpopular. Its troops lost the will to fight. Many people living in the towns began to think that the CCP could not be any worse than the Guomindang. In fact, as the Communists began to capture the towns they became more popular and gained a reputation as being honest and efficient.

Interpretation 2: From *China 1900–76* by G Stewart, published 2006.

> During the Civil War, support for the Communists appeared to be widening. The CCP targeted most classes of people. In the cities, it increasingly attracted intellectuals and those who wanted political change. In the countryside, it was careful not to lose the support of the better-off peasants. The CCP's policy of setting fair rents for houses, its aid to the village communities and the decent behaviour of the PLA troops, attracted the support of most peasants. People began to believe that the Communists would solve China's problems and so lift China off its knees.

2 P56277A

P56277A 3

日本の「試験」をイギリスでは「クイズ」と呼ぶ

いかがだろうか。

これが、16歳が受ける歴史の試験だ。

三部作だがすべて問題の種類が違うので、全部を受験してはじめて一科目として成績がつく。試験は三日に分けられ、どの試験も一時間以上と長く、三つあわせて4時間以上になる。

この試験問題をはじめて見たとき、私は仰天した。ページをめくれどもめくれども延々と解答用紙が続いていたからだ。みなさんも、試験で求められる記述量のあまりの多さに圧倒されたのではないだろうか。もっとも、解答スペースが多いのは、原則的にボールペンや万年筆で答案を書くことが求められているという理由もある。書いた部分を消したい時は、消したい部分に棒線を引いて、別のスペースに書き直すため、鉛筆と消しゴムで書く解答用紙よりもスペースが多く必要になる。また、解答スペースは全部埋めなくてもよい。解答の量より質の方が重要だ。しかし、質の高い解答にはある程度の分量が必要なのでスペースの70%は書かないと良い点は得られないだろう。

実は、日本で試験と呼ばれるものを、イギリス人は試験（examination）と呼ばない。イギリスでは学力を測る際、「クイズ」、「テスト」、「試験」の三種類を使い分ける。「クイズ」は日本人が使う意味のクイズとほぼ同様で、答えは短く、「空白を埋めよ」式、〇×式、選択肢式などがある。クイズは、生徒の日々の授業の理解度を試すときや楽しむときなどに使う。「試験」は、数か月から数年をかけて学んだことについて包括的に生徒の理解度や実力を試すもの。問題はたいていオープンエンド、つまり答えを生徒の自主性に任せるタイプである。「テスト」は「クイズ」と「試験」の中間のようなものだが、普段の会話では試験と同義で使われることもある。よって、日本の学校ではイギリス人が使う意味での試験はほぼ行われていない。ほとんどクイズで、稀に入試などでテストがあると言ってよいだろう。

イギリス人はクイズ好きで、テレビやラジオのクイズ番組も多い。勤務校でもさまざまなタイプのクイズ大会があった。正解の多かった生徒たちは表彰され、物知りとして尊敬を得る。しかし、クイズに強い、つまりクイズという分野で優れているからといって頭が良いと思われているわけではなかった。イギリス人は、頭が良い人を、知識の有無より考える力があるかどうかで判断するからだろう。

暗記が苦ではなかった私にとって、クイズのような歴史は得意科目だった。大学受験の頃、マークシートの全国模試では世界史で十位以内に入っていたので、自分では歴史ができると思っていた。実際、歴史のトリビアが役に立つ場面もあった。日本史の知識であれば日本を外国人に紹介するときに使えたし、世界史の知識であれば外国人との雑談のネタにすることができた。雑談は社交やビジネスで相手との良い関係構築のために重要なので、私にとってはそれが歴史を勉強した成果だった。それで十分だと思っていた。

しかしイギリスの中学修了試験の歴史を見て、自分の勉強の仕方が浅かったことに気づき愕然とする。このような質問がありうる、ということに考えが及びもしなかったからだ。イギリスの試験でもある程度の知識は必要だが、何よりも必要なのは知識を土台とした思考力・判断力・表現力だ。それらは、暗記力を頼りにしていた私には身についていない力だった。

イギリスの義務教育

イギリスの歴史の勉強法を詳しく見ていく前に、まず彼の地の義務教育について説明しよう。なおイギリスは、イングランド、ウェールズ、北アイルランド、スコットランドの連合国で、教育制度はそれぞれ少し異なる。この本ではイングランドを基準とする。

義務教育は日本では9年間だが、イギリスでは11年間だ。日本より一年早く始まり、一年遅く終わる。つまり満6歳になる年にはじまり、満16歳で終わる。この期間、学年は通しで1年生から11年生と呼ばれる。日本のように小学校、中学校とはっきり区分がないが、この本では日本との比較をわかりやすくするためにイギリスの1年生から8年生を小学生、9年生から11年生を中学生と呼ぶことにする。高校は2年間で12年生と13年生と呼ばれる。

11年生を終える前、イギリスで学ぶ子どもは中学修了試験という国家試験を受験しなくてはならない。ヨーロッパのいくつかの国でも似たような試験を採用している。日本ではイギリスの中学修了試験に相当する試験はないが、イメージとしては大学入学共通テストの中学生版のようなものである。イギリスで高校へ進学する場合、基本的にこの試験が入学試験の代わりになる。必修科目は国語、数学、理科の三科目。選択科目は数十科目もあり、日本の義務教育では習わない宗教学や演劇、数多くの外国語などが含まれる。生徒はそのうち二科目以上受験しなくてはならない。必修科目の国語と数学で落第点を取ると、再試験を課される。

歴史は、日本では日本史と世界史に分かれているが、イギリスではイギリス史と世界史に分かれていない。歴史はイギリスでは人気科目で、大学や専門学校に進学したい生徒の多くが勉強する。毎年、受験生全体の約40%にあたる30万人弱が歴史の試験を受けており、選択科目の中で受験者が最も多い科目となっている。

日本の中高生にとっても、日本史は小学校6年生という割合早い段階から学びはじめることや、歴史上の人名や地名になじみがあることなどで、比較的人気のある科目だ。しかし歴史教師によると、世界史は人名や事件名が覚えにくいなどの理由で人気は低迷しているという。

では、イギリス人生徒に人気のある歴史はどんなものか、次章で紹介しよう。

第二章
イギリス人はこんな風に「歴史」を学ぶ

イギリスの学校で習う歴史の概要

「どうしてそんなに歴史の年号や人名を知っているんですか」。

すべての科目で成績優秀だった高校生とアメリカ独立の歴史について話していた私は、そう聞かれた。「え？　どうして知らないの？」私はびっくりして逆に生徒にたずねた。18世紀のアメリカ建国にはイギリス人が深く関わっており、イギリス人が必ず習う史実だ。大学で歴史を専攻する意図はないにしろ、優秀な生徒なので、それにまつわる事項も知っているはずだと私は思ったのである。アメリカが独立宣言をした年を知らなかったとしても、初代大統領や独立宣言を起草した人の名前などはわかるだろう…いや、フランス革命の年はわかるだろう…。

しかし、その生徒は、「知りません」。

なぜそんなことが重要なんですか、と言いたげだった。

年号や人名をとりたてて重要視しない歴史の勉強とはどんなものなのか。

イギリスでは歴史の授業は小学1年生で始まる。一方、日本では生徒が住んでいる地域の歴史は小学校低学年で少し触れるものの日本史は小学6年生から、世界史は中学校の日本史に少し含まれる形で始まる。だからイギリスでの歴史の勉強は、日本に比べかなり早くはじまると言える。ただし、最初から難しいことを学ぶわけではない。小学1年生と2年生では自分の地域の歴史を学ぶ。

イギリスの多くの地域は、古代に南方からはローマ帝国の、北方からはバイキングの侵攻を受けた。そのような史実を学ぶ授業や課外活動では、子どもたちが古代ローマ軍やバイキングに扮しておもちゃのかぶとをかぶり、おもちゃの剣と矛を持って劇を演じることもある。

地域の歴史に加えて、人類の生活を変えたような世界史上の大きなできごとや有名人物・歴代の有名な王がした事などを振り返りながら歴史の全体像になじむ。たとえば大航海時代の探検家クリストファー・コロンブスや、イギリスで黄金時代と呼ばれる時期を統治した女王エリザベス一世、人類で初めて月面を歩いたアメリカ人の宇宙飛行士ニール・アームストロングなどが登場する。学校や教員によっては、歴史上のできごとを記念して行われる祭りに合わせた学習もある。たとえば、人類の初飛行を記念する祭りの場合、人々が空を飛ぶ夢をどう実現させてきたかを古代ギリシャのイカロスの神話から15世紀のレオナルド・ダ・ヴィンチの試みを経てライト兄弟の偉業に至るまで学ぶ。

このように、かなり小さいうちに歴史上重要な世界の人物やできごとに触れさせる。授業も歴史が身近に感じられるよう工夫されている。たとえば歴史上の人物や事件の絵を描いたり、城や戦場の模型をみんなで作ったり、人物になりきって会話したり劇をしたりする。

3年生から6年生では、先史時代から現代までのイギリス史を含む世界史を学ぶ。ただし、単に時系列で学ぶのではなく、広く浅く学ぶ部分と狭く深く学ぶ部分を組みあわせる。古代では世界四大文明つまりメソポタミア、エジプト、インダス、中国を広く浅く学ぶことに加え、自分の興味のあるどれか一つの文明について、深く掘り下げる。また、歴史の変換点となったできごとについても深く学ぶ。たとえば19世紀初にイギリスで世界に先駆けて建造された鉄道がもたらした劇的な社会的変化や、第二次世界大戦でドイツが弱体化する転機となった1940年の大規模な英独航空戦を取り上げる。さらに、テーマ学習もする。これはテーマを設定して歴史全体を眺める試みだ。たとえば「古代ギリシャと古代ローマの文化は西洋社会にどのような影響を与えているか」というテーマに基づいて過去から現在まで調べるような学習である。加えて、ヨーロッパ以外の場所とイギリスとの比較も行う。比較の対象として、初期イスラーム文明やマヤ文明、中世西アフリカのベニン王国のいずれかを勉強する。

このようにイギリスでの歴史の学び方は、日本のように歴史を先史時代から細かく時系列順に学んでいくスタイルとは全然違う。早くも2年生で世界史の最初から現在までをごくごく浅いながらも学ぶ。対象もほぼ世界全域だ。学び方も、歴史の流れや突出したできごとによる変化などを考えられるようになっている。

7年生から9年生は1年生から6年生までの学びをさらに深める。広く浅かった学習を、要所要所でだんだんと狭くするようなイメージだ。生徒は与えられた資料だけでなく、自分でいろいろな情報源を探す。それを活用し、一般に受け入れられている解釈を知ったり、その解釈に疑問を投げかけたりするような態度を身につける。この学年になるとキリスト教や法律、政治思想、社会主義・資本主義など抽象的な概念の歴史も学ぶ。また、今に至る現代史も第二次世界大戦の前後関係を中心に詳しく学ぶ。つまり12歳前後から、考える訓練を本格的にはじめる。

10年生（満15歳）から歴史は選択科目になる。そして、歴史を選択した生徒は11年生つまり義務教育の最後の年に中学修了試験で歴史を受験するべく、その準備を始める。

歴史の学び方

次に、イギリス人の歴史の学び方を見ていこう。

以下は中学生が使う参考書の説明を、筆者が日本の歴史に当てはめてアレンジしたものである。

中学生のみなさんは歴史家になったつもりで、歴史を勉強しましょう。

⑴ 過去を知るために情報源を探す

歴史家がすることはまず情報源を探すことです。情報源から得た情報は歴史を構成する一つ一つのレンガのようなもので、それを積み上げて歴史を組み立てていくのです。

情報源には新聞や本などのように書かれたものと、写真や地図、映像のように視聴覚的なものがあります。また、情報源は一次史料と二次史料に分けられます。一次史料とは、できごとが起こったときに、その場で記録されたもの。太平洋戦争を例にとると、１９４１年12月に発行された新聞記事や、戦場で兵士が書いた日記、戦争を撮影したビデオなどです。二次史料には後年出版された回顧録や当時についてのインタビュー、大戦を論じた本などがあります。

⑵ 情報源について調べる

情報源を得たら、それを正確に使うため慎重に、そして細かく調べ、解釈しなくてはなりません。その前提として情報源の性質を調べる必要があります。

次の肖像画を例にとって情報源の性質を調べてみましょう。

・これは何に関する情報源?
……将軍織田信長の肖像画
・誰がこの情報源を作った?……狩野宗秀
・なぜこの情報源が作られた?
……信長の一周忌に長興寺に寄贈するため
・いつ、どこでこの情報源は作られた?
……1583年、京都で。
・その情報源がどう役に立ち、どれだけ信頼できるか?

信頼できる面と信頼できない面……

例)この肖像画は狩野宗秀によって描かれている。宗秀は有名な画家一族の一人で、信長が信頼を寄せていた狩野永徳の弟なので、信長を見たことがあると考えられる。また、信長の死の一年後に描かれているので宗秀がまだ信長の容貌をほぼ記憶していたと考えられる。そこでこの肖像画は織田信長の容貌を知るのに役に立つ情報源だと考えられる。

一方、宗秀がこの肖像画を描いたときは、信長の信任が厚い臣下であった豊臣秀吉が後継者になって間もない頃であり、織田家もまだ権勢を誇っていた。よって信長を見栄え良く描かなければ罰せられたかもしれない。だから、この肖像画は完全に信長を再現したものとは言えない可能性がある。

このように情報源の精査を終えたあと、歴史家はそれを解釈しなくてはなりません。つまり情報源が、何を語っているか、をはっきりさせるのです。一つの情報源だけでは偏った見方になる可能性があるので、たくさんの情報源を見つけ出し、比較します。一つのできごとについて矛盾する情報源があれば、なぜ矛盾するのか、その矛盾が指し示すことは何かを探ります。つまり様々な人の視点で情報源を比べ、「似ている点」や「違う点」に注意しながら解き明かすのです。

織田信長の肖像画をたくさん集めて比べてみましょう。もし見栄えが良くない信長が書かれている肖像画があれば、それは信長を好ましく思わない人の注文で描かれたものかもしれません。

あなたが見たり読んだりしたものがそのまま史実であると仮定するのはやめましょう。

（傍線は筆者による）

⑶情報源から得られた情報をつなぎあわせる

さまざまな情報源から情報を収集したあとは、それらを特定の期間の中で結びつけてみます。すると、歴史が持ついろいろな特徴が現れてきます。

①「変化」は、以前とは違うことが起こったときに生じますが、急激に起こることも、ゆっくりと時間をかけて起こることもあります。たとえば急激な「変化」は日本史でいうと

明治維新のようなできごとであり、ゆっくりとした変化は室町時代に徐々に識字率が高まった、などの事例があげられます。

「連続」は「変化」の反対で、同じ状態が続くことです。たとえば、疫病は神のたたりだと長い間人々に信じられていたことがあげられます。しかし「変化」と「連続」は同時に起こることもあります。たとえば、14世紀初頭には鎌倉幕府が滅び室町幕府が成立するという大きな「変化」がありましたが、農民の生活はそれほど大きくは変わらなかったという「連続」も見られました。また「変化」には、はっきりとわかるものとわかりにくいものがあります。たとえば将軍や天皇が変わることは明らかな変化ですが、人々の衣食住の変化などはわかりにくいです。

急激で重要な「変化」は転機や転換期（ターニングポイント）と呼ばれます。転機の後は、社会や生活はたいてい二度とそれ以前のものに戻りません。たとえば、江戸時代の黒船来航がそれにあたります。

②「原因」は何かが起こった理由で、「結果」はできごとの成り行きや帰結です。これらは長期間にわたって生じるものと、短期間のうちに生じるものの両方があります。たとえば、「天明の大飢饉」で凶作が続き農民が窮乏していた（→長期の原因）ところに、全国各地で打ちこわしが頻発（→短期の原因）したことが、田沼意次失脚の一因となりました。

歴史上のできごとはいくつもの「原因」と「結果」が相互に作用しあって起こります。一つの「原因」により、ある「結果」が生じ、それが新たな「原因」となってまた別の「結果」を引き起こすという連鎖反応はよく見られます。ばらばらに見える史実も影響し合い、つながっていることがあります。

③ 次に①と②の考察を進めて、その「変化」は何が原因で起こったか、どうしてその「変化」は起こり得たか、または何が「変化」を妨げたかを深く考えましょう。その「変化」は人々にどのくらいの衝撃を与えたのでしょう。

④ 最後に「意義」について考えます。これは、事件や事象について、それが起こったときはどのくらい重要だったか、のちの社会にどのくらい影響を与えたか、今に至っても影響を与えているか、ということです。今は重要視されているが起こったときはそうではなかった、ということもあります。また、その事件や現象は、誰にとって重要なのか、を考えましょう。

⑷ 説明する

⑴から⑶で行ったこと、つまりいろいろな情報源を探してつなぎあわせ、「似ている点」や「違う点」を比較し、できごとの「原因」と「結果」や、「変化」と「連続性」を分析した上で「意義」をつきとめ、それらを文章や口頭で説明しましょう。

以上、歴史の学び方を簡単に見ていただいたが、私たちが学校で、または受験勉強で取り組んだ歴史の勉強方法とずいぶん違うと実感されたのではないだろうか。

「あなたが見たり読んだりしたものがそのまま史実であると仮定するのはやめましょう」という言葉が示すように、生徒は教科書に書いてあることを覚えるという受け身な態度は求められていない。史実に対して問いかけをし、主体的に情報源を集め、それを分析して考えた結果を表現するように習う。

日本の学校で歴史の授業中、自分で探し出した資料を持ってきて教科書と違う見解を教員に唱えたりしたら、その生徒はクラスでやっかい者になるだけでなく、親が学校に呼ばれてしまうかもしれない。

イギリスの歴史の学習方法は、国際バカロレア（International Baccalaureate）機構という教育財団法人が実施する歴史の学習方法とほぼ同じだ。ＩＢ（アイ・ビー）という略称でも知られるこのプログラムは２０１９年時点で世界１５３ヵ国の５０００校以上で採用されている。ご存じの方も多いだろうが、日本政府や日本経済団体連合会（経団連）などの財界も国際バカロレア教育の普及に積極的だ。現在日本でも小学校レベルから高校レベルまで合わせて２００校近くがこの教育を導入しており、その人気も高まってきていると聞く。国際バカロレア採用校の高校生が受けるディプロマプログラムを修了した生徒は世界の難関大学に進学することが多い、という統計もある。国際バカロレアを1968年に創設したときの主要メンバーがイギリス人だったので、イギリスの試験と国際バカロレアの試験が似ているのは極めて納得がいく。どちらの学習方法も、世界に羽ばたいていく志気の高い若者に適していると言えるだろう。

日本の学習指導要領と比べると…

日本の文部科学省が発表している学習指導要領には、歴史の学び方はどう書いてあるか。驚くべきことに、日本の指導要領にも、イギリスのそれとかなり似通ったことが書いてある。だから、歴史学習の理念に関しては、日本もイギリスとほぼ同じだと言える。しかし、日本の中学・高校・大学への入試問題がこの理念に対応していないため、学校の授業も入試対策に終始しなくてはならないのかもしれない。

学習指導要領では、小学校版・中学校版・高校版のすべてで「知識」だけではなく「思考力、判断力、表現力を身に付けること」が繰り返し強調されている。「課題を設けて追究したり、意見交換したりするなどの学習を重視する」という文言からわかるように、活発なクラス活動を行うことも奨励されている。さらに、2017年に告示された中学校指導要領では2010年版に比べ、特徴的な文言が加わる。たとえば「複数の立場や意見を踏まえて公正に選択・判断したりする力を養う」、「(我が国と諸外国の)歴史に見られる文化や生活の多様性に気づかせる」、「生徒が主体的に調べ分かろうとして学習に取り組めるようにすること」などだ。

「考える力」の育成が平成時代に文科省の教育目標になってから、歴史の教科書も大きく変わった。私が10代だった昭和後期とは違い、「○○と△△はどう異なるかな」とか「○○は△△と比べてどんな特徴があるかな」など、随所に生徒への問いかけがある。資料もふんだんに取り入れられている。

ところが、せっかく教科書が生徒の主体性を促すスタイルに変わったにもかかわらず、テストは以前のままだ。たとえば東京都立高校の社会の試験問題(2023年2月)の歴史を見ても、生徒の主体性が生かされるような問題は残念ながら見当たらず、相変わらず記憶力を問う選択肢問題が並んでいる。

次にイギリスと日本の学習指導要領で違う点を見ていきたい。おもしろいと思ったのは、イギリスのそれに「人類の歴史の偉業(achievements)と愚行(follies)を学ぶ」と書いてあったことだ。一方、日本の学習指導要領には「愚行から学ぶ」は小学校版から高校版までどこにも載っておらず、「国家及び社会並びに文化の発展や人々の生活の向上に尽くした歴史上の人物」を尊重するとしか書かれていない。しかし、歴史上のできごとはおそらく偉業よりも愚行の方が多いのではないだろうか。「愚行」に目をつぶり「業績」ばかり注視していたら、過去の失敗から学ぶという絶好のチャンスの芽を摘み取ってしまうように思える。また、教科書で「業績」と思われていることが本当に「業績」なのか、誰にとって「業績」なのかと考える機会も奪う。

逆に、日本の学習指導要領にあってイギリスのそれにない文言は「自国を愛し」、「我が国の歴史に対する愛情〔略〕を尊重しようとすることの大切さについての自覚などを深める」である。イギリスの学習指導要領は自国への愛情には触れておらず、「見識が深く、思慮に富んだ意欲的な市民となれるようにする」とある。

自国を愛する態度を育てることは重要だが、それを教員や学校が意識しすぎると、せっかく学習指導要領で謳っている「新聞、読み物、統計その他の資料に平素から親しみ適切に活用したり」するなどの活動を取り入れるという文言が生きてこなくなるのではないか。言い換えれば、日本に好感を持てなくなるような資料が看過または無視される可能性が生じるのではないだろうか。もし、学習で使われる資料が限られれば、思考の幅は狭まり思考停止や短絡的な思考を招いてしまう恐れがあるだろう。

第三章

「歴史」の試験問題を新しい角度から考えてみる

試験の種類は三つ

この章では、中学修了試験の実物を詳しく解説していこう。この試験で出題される問題の種類は大まかに三つに分けられる。

①一つのテーマを、短期から中期（10～50年）にわたり深堀りする問題。
歴史の勉強で「短期」は10年から20年を、「中期」は約50年を意味する。

②一つのテーマを、長期（約１０００年）にわたり追う通史問題。
イギリスでは「長期」は数百年から１０００年を意味する。イギリス人が歴史を長い時間軸の中で捉えていることがわかるだろう。

③イギリス国内の社会問題。

どの種類の問題にも多くのオプションが用意されていて、生徒は自分が勉強したいテーマを事前に選ぶ。試験は中学を終える11年生の最後に受けるが、試験のテーマは10年生のときに決め、試験のために1年以上準備することができる。

ここでは、代表的な3つの問題をとりあげ、それぞれの問題と模範解答の日本語訳を紹介したい。

一つ目は、①短期から中期、つまり10年から50年にわたるできごとを深堀りする現代史の問題で、テーマは「毛沢東の中国」だ。これは、毛沢東が中国共産党のリーダーとして頭角を現し始めた１９３０年代から１９７０年代に死去するまでの、中国（１９４９年までは中華民国）国内での国民党との内戦や、アメリカ、ソビエト連邦との関係を扱っている。日中戦争における日本の中国での軍事行動を含むので、日本の歴史授業ではあまり触れられないテーマだ。しかし、現今の中国・台湾・日本の関係を考察する上で、極めて重要な時代である。これを勉強すると、中国の習近平国家主席が英雄視している毛沢東の言動や思想がわかってくる。また、日中戦争前から戦中における日本の中国での行動が中国共産党の成立と発展にかかわっていることや、中国共産党に敗れ中国からのがれた国民党が拠点とした台湾と中国の対立、ソ連時代から続く中国とロシアの関係が理解しやすくなる。

二つ目は、②長期、つまり約１０００年の通史を一つのテーマで追う問題で、テーマは「イギリスの医学の歴史：１２５０年頃から現在まで」だ。歴史でなぜ医学を取り上げるのか、それは理科が取り扱うテーマではないか、とみなさんは考えるかもしれない。しかし、医学の歴史を追うことで、各時代の為政者や宗教指導者の権力、庶民の生活などが浮き彫りになってくる。人類は誕生して以来病気と対峙してきた。だから医学は国籍を問わず、誰にでもかかわるテーマだ。日本の医学の歴史も考えあわせながらイギリスの医学の歴史を追っていただきたい。

三つ目は、③イギリス国内の社会問題で、「ノッティングヒル地区の移民：1948年から1970年頃まで」というテーマを取り上げる。ロンドン西部のノッティングヒル地区には、第二次世界大戦後に数多くのカリブ海諸国の人々が移民した。これは、国内の労働力不足を補うためにイギリス政府が彼らを招来したためである。しかし彼らは現地住民から激しい差別待遇を受け、流血沙汰になる暴動が頻発した。時間をかけて事態は徐々に解決に向かったが、今でも差別は完全には撤廃されていない。日本に目を向けると、1980年代後半にはバブル景気のもとで海外、特に南米やイランから製造業などを担う外国人労働者が増えた。その波が引いた2000年以降も労働力の不足を背景に、技能実習生など海外からの労働力受け入れが増え、様々な社会問題が発生している。イギリスで第二次世界大戦後に起こった移民の問題は、日本の外国人労働者問題を考えるのに、いろいろな視点を与えてくれるだろう。

二つ目の医学に関する通史問題と、三つ目のイギリスの移民についての問題は、日本人になじみの薄いテーマなので、イギリス人生徒が使う参考書などをもとに解説を加えた。

①一つのテーマを、短期から中期（10～50年）にわたり深堀りする問題

例「毛沢東の中国：1945年頃から1976年まで」

試験の所要時間は一時間二十分。2018年に行われた試験の問題と模範解答の日本語訳は次の通り。

情報源A

1955年に印刷された「毛沢東主席への熱愛」というポスター

問題1　毛沢東崇拝の影響について情報源Aから推察できることとその理由を二つ挙げなさい。

〈解答例〉

一つ目

推察できること……毛沢東は子どもに好かれている。

その理由……四人の子どもが幸せそうにほほ笑んでいる。

二つ目

推察できること……小さい頃から中国人は毛沢東を崇拝している。

その理由……子どもたちは毛沢東の肖像画を高く掲げている。

問題1は、絵を見て推察できることを書け、という問題だが、ここではプロパガンダとしての絵が語ることを注意深く「**分析**」する。これはものごとの本質を捉えようとする試みだ。公共に向けて使われる絵や写真を見たとき、それを見たまま・聞いたまま頭に入れるのを避ける。そして隠れている要素やメッセージはないか、どういう意図を持って表現された媒体なのか、をさぐる習慣をつける。

問題2　なぜ毛沢東は文化大革命をはじめたのかを説明しなさい。

次の言葉を使ってもよい。

・毛沢東思想

・権力闘争
自分で探した情報も必ず使いなさい。

〈高得点を取った生徒の解答〉

毛沢東が１９６６年に文化大革命を起こした理由の一つは資本主義の道を行く実権派の動きを止めるためである。毛が１９５８年からはじめた大躍進政策は１９６２年に不本意な結果に終わり、毛は国家主席の座を追われ、劉少奇や鄧小平が実権を握るようになった。彼らは現実主義者で、毛のイデオロギーに反した新しい政策を取り入れ始めた。たとえば民営の農場や自由市場を設けることなどである。毛が権力の座に返り咲くと、劉や鄧による政策から人々の目を背け、彼が万人にとって平等な主義だと信じている共産主義の路線に軌道を変える必要があった。

毛が文化大革命を起こした別の理由は、四旧すなわち旧思想、旧文化、旧風俗、旧習慣を打破し新しい文化を導入することだった。四旧を打破せよというスローガンのもと、毛は学生を味方につけ、彼らを主体とする紅衛兵を組織し、古い文化や宗教に関するものを取り除いた。また、西洋文化にかかわるものにも攻撃を加えた。攻撃を受けた人の中には西洋の音楽を聴く人や、ショートカットの女性や西洋風の髪型の人、西洋の服を着ている人なども含む。そして人々に軍服を着用させた。四旧を打破することで、毛は共産主義のルールを布き、勢力を増した。革命中、紅衛兵は過激な思想と行動に走り、彼らは自分たちのコミュニティーを作り上げるようになったが、最終的には軍によってほぼ鎮圧された。

毛沢東が文化大革命を始めたのは、最終的には中国に共産党体制を浸透させそのリーダーであり続けるためだった。大躍進政策はいろいろな失敗を生み出した。たとえば、農家の庭に作られた炉で生産された質の悪い鉄はほとんど無駄になり、数千万の餓死者を出し、食人が横行した。毛は政策の過ちを認め、国家主席を退任し、その後任になった劉少奇が鄧小平共産党総書記と大躍進からの方向転換をした。しかし、共産党の中心人物であった毛は、それなりの影響力を持っていて、劉少奇や鄧小平を資本主義に走る修正主義者と批判した。そして自身の著書『毛沢東語録』を出版したり林彪や江青を味方につけたりしながら、文化大革命の目的であった権力奪回に成功した。

問題2では、毛沢東が文化大革命を推進した「**原因**」を、正確で適切な情報をもとに「**分析**」し、理論的に「**説明**」する。問2の解答を見てもわかるとおり、ものごとの「**原因**」は多くの場合、一つではなく複数が絡み合っており、意図した「**結果**」が得られることも、意図していなかった「**結果**」を招来することもある。それらの「**結果**」が長期的に、または短期的にどのような「**変化**」を与えていったか、または「**継続**」していたことは何か、を順序だてながら、読み手の頭にすんなり入っていくように「**説明**」する。

問題3（a）内戦における中国共産党の成功の理由を調べるのに、次の情報源Bと情報源Cはどう役に立つか。情報源Bと情報源C、ならびに歴史的文脈に関して自分で得た知識を用いながら、あなたの考えを説明しなさい。

情報源B
1949年10月1日、中華人民共和国建国宣言をする毛沢東のスピーチ

我が人民解放軍は全国の人々の支援の元で、祖国の領土主権を守り人民の生命と財産を守り、人民の苦しみをやわらげ人民の権利を保護するべく戦うために大胆不敵で英雄のように反乱軍を排除し、国民党政府の反動的支配を打倒した。解放戦争は基本的勝利を達成し、大多数の人民は開放された。（注：YouTube「毛沢東演説〝中華人民共和国建国宣言〟」を参照）

情報源C
1949年、アメリカ合衆国国務長官から大統領に送られた手紙。新聞に発表されたもので、中国の内戦の様子が書かれている。アメリカは当時、中国国民党を支援していた。

1948年という重要な年、中国国民党はじゅうぶんな武器弾薬があったにもかかわら

ず、どの戦いにも敗れた。実際、内戦初期に国民党は多くの問題を抱えていたことが観察された。これらの問題で国民党は中国共産党に抵抗できなくなっていた。
国民党のリーダーたちは危機に立ち向かう能力がないことを露呈した。国民党はもはや戦う意志がなく、人々からの支持も失っている。一方、共産党員は強い統率の元で狂信的に熱狂している。彼らは解放者であり保護者である、と人々に納得させようとしている。

〈**良い点を得た生徒の解答例**〉

情報源Bはある程度役に立つ。なぜなら、これは内戦中に中国共産党のリーダーであった毛沢東によるスピーチだからだ。このスピーチから、毛が内戦の勝利についてどう考えていたかがわかる。しかし、このスピーチはなぜ共産党が勝ったのかの理念的な説明だけで、具体的な理由はあげていない。「人々が人民解放軍を支援した」ということを強調し、共産党の勝利が中国人の総意であることをにおわせている。また毛は、農民を中心にすべての中国人を団結させ彼と共産党の傘下に置き全国に社会主義を波及させたかったことが読み取れる。一方、勝利に導いた具体的な戦略や政策は述べていないのに自軍の兵士を「英雄」と賞賛している。これらを考えあわせると、情報源Bは毛が意図する成功の理由を人々に印象付ける点では、部分的に効果的だと言える。

情報源Cはアメリカ合衆国国務長官がアメリカ大統領に向けて書いたものだ。これは、今後のアメリカの方針を決めるのに役立つように書いているはずなので、彼の見解は隠し立てがなく情報源Cほど偏った見方ではないと考えられる。アメリカが国民党を援助していたという事実にかかわらず、この筆者はアメリカの失敗に批判的だ。「中国国民党はじゅうぶんな武器弾薬があったにもかかわらず、どの戦いにも敗れた」と書いてあるようにおそらく国民党に必要な物資を送るのに大量の金を費やしたからだろう。情報源Cは、情報源Bと違って中国共産党が成功した具体的な理由を挙げている。たとえば「強い統率」、「狂信的な熱狂」などで、毛は、人民解放軍が忠実に大義を遂行し農民を尊重したと確信していたのを物語る。情報源Cは国民党側の情報も共産党側の情報も示しているので、読者が内戦についてバランスのとれた評価を下すことができる。

以上のことから、私は情報源Cの方が役に立つと結論付けたい。なぜなら共産党の成功に国民党の失敗が影響しているという事実を示しているからだ。

問題3(a)では、二つの一次史料が提示される。(一次史料については44ページを参照されたい。)これらはほぼ同じ時期に共産党の勝利の理由について述べたものだが、異なる視点で書かれている。この問題は、事実は一つでも複数の視点があることを教えてくれる。生徒は、それぞれの長所や短所、書いた人の立場などを考慮した上で、史料の有効性を「**分析**」し、根拠に基づいて「**評価**」を下す。解答者は結論でどちらの情報源がより役に立つかを書いているが、これは書かなくてもよかった。

毛沢東のスピーチの「**重要性**」を考える際は、文字で表されている意味だけでなく、言外の意味も考えあわせなくてはならない。意図的に言わなかったことはあるか、もしあれば、どうしてそうしたのかにも考えを巡らせる。

問題3（b）次の解釈1と解釈2は内戦で共産党が成功した理由についてそれぞれ異なる見解を示している。見解の主要な違いは何か。それぞれの解釈の詳細を用いて、あなたの考えを説明しなさい。

解釈1　2013年に出版されたD Davin氏の「毛沢東：ごく短い紹介」

国民党は統率力も能力もなく、腐敗していた。アメリカ政府の強力な援助があっても勝つことはできなかった。インフレと財政的な不祥事により国民党の人気はますます下がっており、国民党軍は戦う意志を失った。都市の住民の多くが、共産党は国民党よりましだろうと考えはじめていた。実際、共産党が都市を占領しはじめてから、彼らの人気は高まり、正直で効率的だという評判を得るようになった。

解釈2　2006年に出版されたG Stewart氏の「中国　1900年から1976年」

内戦の間、共産党支持層はどんどん広がっているようだった。共産党はほとんどの階層の人々をターゲットにした。都市では、知識階層や政治の変化を望む人々からの支持を集

めていった。地方では、富農の支持を失わないように注意を払っていた。共産党は公平な家賃の設定、村落共同体の支援、人民解放軍の礼儀正しい行動などの政策により、ほとんどの農民を惹きつけていった。人々は共産党員こそ中国の問題を解決し中国をくびきから解放してくれると信じるようになった。

〈4点満点中2点しか取れなかった生徒の解答〉

解釈1は、国民党が抱えていた諸問題と、人々が共産党を支持し始めた理由を述べている。

解釈2は、なぜ人々が共産党支持に回ったかと、共産党が人々の参加を促すように何をしたかを述べている。

これは二次史料を比較する問題だ。（二次史料については44ページを参照されたい。）答え自体はあっているのだが、「それぞれの解釈の詳細を用いて、あなたの考えを説明しなさい」と問題文にあるように、解釈から生徒の答えを裏付ける引用、つまり証拠を提示していなかったので、半分の得点しか得られなかった。

次のように書けば、もっと良い点が取れたはずだ。

どちらも共産党が成功した理由を述べているが、解釈1は国民党に焦点を当て、国民党

が「統率力も能力もなく腐敗していた」ので人々が相対的に「国民党よりまし」と考えた共産党を支持するようになった、という見方を示している。

一方、解釈2は共産党に焦点を当て、彼らが自力で国民の支持を獲得したと考えている。つまり、共産党が「都市の知識階層」や「地方の富農や一般の農民」など幅広い階層と地域の人々をターゲットにして、思慮深い政策を施し「礼儀正しく行動」したので人々は共産党こそ中国を率いる党だと思うようになったとしている。

問3（c）解釈1と解釈2が、共産党が内戦で成功した理由についてなぜ異なる見解を示しているのか、考えられる理由を一つ書きなさい。あなたの考えを説明するにあたり、情報源Bと情報源Cを使ってもよい。

〈満点を取った生徒の解答例〉

解釈1は、国民党の統率力のなさが共産党の成功を招いたといったような、国民党を否定的に捉えた情報源を参照している。また解釈1は、国民党はじゅうぶんな武器弾薬があったにもかかわらず彼らは勝てなかったことを示す情報源Cのような情報源を参照している。これは内戦における共産党の勝利の理由について解釈2と異なる見解を導く。

解釈2は共産党が多大な支持を得ていたことを示す情報源Bのような情報源を参照して

いる。解釈2は共産党が支持者からのサポートを失わないようにするだけでなく彼らを救うために注意深く人々に接していたことを示す。

問3（b）と（c）では、共産党の勝利という「**同じ**」史実を、「**違う**」視点から発信する二つの解釈を「**比較**」する。それぞれの解釈で何が「**重要性**」を持っているかを明確にしたら、その「**違い**」が生まれた理由をそれぞれの本の筆者が使ったと思われる情報源の性質を「**分析**」しながら導く。

問3（d）解釈2で書かれている中国共産党が内戦で成功した理由について、あなたはどのくらい賛成するか。双方の解釈と歴史的文脈に関して自分で得た知識を用いながら、あなたの考えを説明しなさい。

〈高得点を得た生徒の解答例〉

解釈2は状況を良く説明しているが、完全に納得するには足りない情報や描写があるので、私は完全には賛成できない。

解釈2は、いかに共産党が人々の支持を獲得し、内戦に勝利したかについて述べている。「共産党はほとんどの小作人を惹きつけた」というくだりがあるが、私の知識を付け加えると、共産党は土地改革を実行し地主から土地を取り上げ小作農に与えたので小作農は自分の土地から利益を生むことができるようになった。また、小作農は自分たちを粗末に扱う地主を嫌っていたので、解釈2で書かれているようにこの方策はとても人気があった。しかし、私は「共産党が富農の支持を失わないように注意を払っていた」という説明には反対する。富農は公衆の場で謝罪を強要され、お金を儲けることしか頭に無い強欲な資本主義者と見なされ共産党支配下で屈辱的な扱いを受けていた。富農はお金も自由もあったので、貧しい小作人から嫌われていた。よって解釈2は共産党が富める農民と貧しい農民に対して違う待遇を処していたこと、富農からの支持を失うことにあまり関心がなかったことを説明していないと考えられる。

解釈1は共産党による人民解放軍の「人気が高まった」ことや彼らが「正直で効率的だ」という評判を博したことなどを説明し、共産党は人口の大部分から好評を得て共産主義の支持者を広げていった、という解釈2の内容を裏付けている。実際に人民解放軍は、第二次世界大戦で中国に侵攻した日本軍が支配する満州国でゲリラ戦を展開した経験があるので戦術に長けていた。この事実は「国民党は統率力も能力もない」とする解釈1を裏付けている。一方、解釈1は解釈2の内容に反することも述べている。つまり、国民党による「インフレと財政的な不祥事」が共産党の勝利につながった、という部分である。1946年に内戦が始まってから汚職にまみれた国民党の経済政策は失敗し、インフレを招き、都市の労働者に高い賃金を払うのをこばんだため、彼らの大多数からの支持を失った。これが国民党の失敗で、都市の住民に背を向けられたことが共産党の人気拡大につながり共産党を内戦勝利に導いた。

しかしながら、解釈2が書いているように人々が「共産党員こそ中国の問題を解決する」と信じていたことは、私の知識と一致する。共産党の毛沢東は、帝国主義者の日本による満州の蹂躙（じゅうりん）に抗戦して勝利をつかみ、男女同権論者として中国社会に根深く巣食っていた問題を男女平等実現のために解決しようとした。加えて、共産党は「公平な家賃の設定」をし、共産主義国になることで強欲な資本主義と腐敗の問題を解決しようとした。しかし私は「知識階層からの支持を集めた」という箇所には反対する。共産党はその主義に則り、知識層や専門家が農民より高い賃金を受けることを嫌い、人民の力を重要視した。多くの知識階層は財産や自分の影響力を失いたくないため共産党を憎んだ。解釈2には「共産党はほとんどの階層の人々をターゲットにした」とあるが、毛は知識層からの共感を得ることには興味がなかったと考えられ、この解釈の不正確さを表している。

全体的に見て、解釈1が反証するように、共産党の人気とその政策だけが国民に影響を与えたという解釈2の見解に全面的には賛成しがたい。共産党の主たるターゲットは全人口の75％を占める貧しい小作人だった。共産党が内戦に勝利したのは人々から支援を受けたことが大きな要因ではあるものの、他のいくつかの要因にも起因している。

多少の内容の重複はあるものの、解答用紙4ページにわたって書かれたこの答案では、与えられた解釈を、別の解釈や自分で調べた知識と「**比較**」しながら詳細に「**分析**」し、自分の論旨を裏付けている。そして最終的な「**判断**」を下し、それを「**説明**」する。「**判断**」は、ぶれがなく首尾一貫しており、理論的にまとまっていなくてはならない。内容の精度といい、論調の明快さといい、16歳が書いたものとは信じがたいくらいだ。

考える手がかり

考える手がかりは44~48ページで紹介したが、今一度まとめると、「**似ている点**」、「**違う点**」、「**原因**」、「**変化**」、「**結果**」、「**継続**」、「**重要性**」を頭に入れて、複数の情報源から情報を引き出し、それぞれの性質や視点を「**比較**」、「**分析**」する。また、情報の有用性や信頼性を「**評価**」しながら、文字や映像に現れていない隠れたメッセージまでを含めて情報をつなげ「**解釈**」する。そして課題を総合的に「**判断**」する。これらを文字で「**説明**」する。

この過程を経て、歴史は暗記科目ではなく、考える科目になる。

② 一つのテーマを、長期(約1000年)にわたり追う通史問題

「イギリスの医学の歴史：1250年頃から現在まで」というテーマの通史問題は、どんな内容か想像がつきにくいだろう。ご自分でも生徒になったつもりで、以下の学習の手引きを読み進めていただきたい。

まず1250年頃から現在までを以下のように4つの期間に分けて、それぞれの時代で病気や不健康の原因は何だと考えられてきたか、予防方法や治療方法はどんなものだったかを考えよう。さらに、それらの考えは時代を経てどのように変化したか、どうして考えが変化したのか、変化したスピードは速かったのか、遅かったのかを併せて考えよう。

①1250年頃～1500年頃（本書では中世）
②1500年頃～1700年頃（本書では近世）
③1700年頃～1900年頃（本書では近代）
④1900年頃～現在（本書では現代）

①１２５０年頃〜１５００年頃

１．病気の原因に対する考え

病気をもたらす原因として人々に広がっていた考え方は、大きく分けて超自然的な力によるものと、それ以外のものの二種類がある。

前者は、病気は神が人に与えた罰または悪魔や魔女など邪悪な超自然的存在によってもたらされるという考えだ。この結果、多数の人が魔女裁判にかけられ処刑された。さらに、病気は誰かにとりついた悪霊によってもたらされるという考え方もあった。

この時代、教会（ローマカトリック教会）はいろいろな面で権力を持つ強力な組織だったが、医学においても強大な影響力を持っていた。教会は人々に病気の原因が神による罰だと人々に思わせるようにしたので、結果的に人々が病気の原因を解明しようとする意欲を妨げた。人々は神への祈りと悔い改めによって良い人間になることで病気が治ると考えた。教会は悪魔祓いの儀式を行うことでも権威を増した。教会は人体の切開を禁止していたので、医者は人体の解剖ができず、生体構造を学べる機会もなかった。

後者の原因として学者の考えで主流だったのは、古代ギリシャの学者ヒポクラテスや古代ローマの学者ガレノスの説である。紀元前5世紀に生まれたヒポクラテスは人体が４つの体液によって作られていると考えた。それらは血液、粘液、胆汁、黒胆汁（これは実際には存在しない）で、それぞれ４つの季節と４つの性質（温・寒・乾・湿）に結びつけられ、これらのバランスが崩れることで病気にかかると考えた。この４つの体液説を踏襲したのが2世紀にローマで活躍したガレノスだ。彼は下痢や寒気などの症状があったときは、寒さと湿った粘液が過剰なので、熱さと乾燥の要素と考えられていた鶏肉、ペッパーやワインを与えると体のバランスが戻り治ると考えた。教会は、４つの体液説を支持し、神が人体を完璧に作ったが、アダムとイブが罪を犯したために体のバランスが崩れたと説いた。医者の間でも古代から伝えられてきたこの説は広く信じられていた。４つの体液説は間違った理論ではあったが、病気は超自然の力が原因ではないと仮定し、人間の力で治せると考えて治療を実行したことは重要な意味を持っていると言える。ヒポクラテスとガレノスは病人を治療するとき、病人を観察しなくてはならないとも信じていた。

ミアズマ説も人々に強い影響を与えていた。これは穢れた空気を吸い込むことで病気になるという考えで、１８６０年代まで信じられていた。穢れた空気は人の汚物や屠畜場、死体など異臭を放つものすべてから生じる。この考えの起源も古代ギリシャや古代ローマだった。

占星術もまた医学に利用された。占星術はアラビア医学で発達し、ヨーロッパに１１００年から１３００年の間に持ち込まれた。占星術は星座や惑星の動きが人々に影響を及ぼすという考えだ。イングランドの占星術師は、占星術により病気の原因を探ったり診断ができたりすると考えた。

2. 病気の治療法

病気は神による罰という考えのもと、人々は神や聖人に祈りをささげたたり、聖地巡礼に赴いたりした。悔い改めの行為は極端に走ることもあった。たとえば鞭打ち苦行は、過去の自分の行動を悔いていることを神に示すために自分自身を公共の場で鞭打った。

医者の多くも迷信を信じ、占星術を使ったり、治療に効果的だと考えられていた呪文を唱えたりした。

4つの体液説に伴う治療法として、瀉血（しゃけつ）や浄化があった。瀉血とは血を抜くことである。血液が多すぎて病気になったと考えられた病人は体を傷つけられて血を抜かれるか、ヒルに血を吸わせた。出血多量になって死亡した人もいたが、瀉血はよく行われる治療法だった。浄化は排泄によって体液を体外に出すことで、病人に下剤を使ってこれを行った。

穢れた空気説では、空気を清浄化することが病気を治すと考えられたため、医者は患者を訪問するときに病気がうつらないよう花束やオレンジを持ち歩いた。黒死病（76ページ）が流行した際は没薬（もつやく）やお香を焚いて煙や香りを部屋に充満させ、悪い空気が家の中に入ってこないようにした。

治療薬として薬草、スパイス、動物の一部、鉱物などが使われ、薬局や家で調合された。治療薬は口承でまたは書き物で人々に伝わった。

その他の治療薬として、迷信に基づいたお守りも使われた。

3．治療を施す人

医者は男性で、少なくとも数年間大学で訓練を受けた人たちだった。彼らは古代の書物やイスラーム医学の書き物を読んだが、実際的な経験はほとんどなかった。それでも患者の状態を調べるために臨床観察をした。医者の数はとても少なかったので、金持ちしか医者に診てもらえなかった。

教育を十分に受けて高報酬をもらえる医者もいたが、全般に医者はあまり尊敬される職業ではなかったので、手術の多くは理髪師が請け負った。中世の手術はとても危険で、大量出血や感染や痛みから免れなかった。そのため実際に行われることは数少なく、行われてもヘルニアの治療や抜歯などあまり複雑ではないものだった。

医者の代役を果たしたのが薬剤師で、病人に治療薬を売ったり助言をしたりした。薬剤師は徒弟制度によって育成された。ほとんどの薬剤師は男性だったが女性もいて、彼女たちは薬草を売り「賢い女性」と呼ばれた。病人のほとんどは医者にかかるお金がなかったため、薬剤師は病人にとってもっとも身近な存在だった。

病院は少なかったので多くの病人は家で家族から治療を受けた。病院はたいてい修道院に敷設された。修道院付きの病院は清潔な水と汚ない水を分けており、患者に食べ物や水やあたたかい場所を提供したので人気があった。また、病院は基本的な治療薬を提供した。修道士は本を読むことができたので薬草の育て方や薬草の調合を知っていた。しかし病院の主たる目的は病気を治療することではなく、病人や高齢者を世話することだった。

4．中世に猛威を振るった黒死病（ペスト）

黒死病はペスト菌によって14世紀にヨーロッパ中に感染した感染病で、ヨーロッパの人口の三分の一がこれによって死亡したと考えられている。帆船の積み荷などに紛れて上陸したねずみに病原菌をもつノミがついていたことで菌が広まり、イギリスには１３４８年に持ち込まれた。病気にかかると頭痛、高熱が起き、皮膚に膿（うみ）が詰まった腫れが現れる。

黒死病の致死率は高く、誰も病気の原因がわからなかったので、人々は従来の非科学的な考え方に固執した。

こんな中、病気の蔓延防止を画策する地方自治体もあった。たとえばウィンチェスター市では、病気で死亡した人の近くによると病気がうつると考え、町の中心地の墓がいっぱいになったとき、墓の拡張をこばんで市街地に墓を作ることを主張した。グロスター市では、人々の接触により病気がうつると考え、市を外部から封鎖した。しかし犠牲者の数は減らなかった。

②１５００年頃〜１７００年頃

1．継続と変化が共存したルネサンス期

14世紀ごろからイタリアで始まったルネサンスは、医学の分野にも波及した。古代の知識をもとに新しいアイデアや思考が興り、人々は古い信仰に挑戦しはじめた。結果、医者の知識や技術に多くの新しい発展がみられた。

活版印刷の普及は、それまで少数で貴重だった本の大量印刷を可能にした。医者は古代ギリシャや古代ローマの古典を原書で読んでその知識を再発見したり、ペルシャの医者で10～11世紀に活躍したイブン・シーナーの書物を読んだりした。

イギリスに入ってきた多くの新しい本は身体の切開と解剖が重要なことを唱え、医者たちは自分で患者の体を調べ病気の原因を結論付けるようになった。フランスの外科医アンブロワーズ・パレが著した手術に関する本は多くの言語に翻訳され、多大な影響を与えた。

16世紀から始まった宗教改革では新たにプロテスタントのキリスト教が広がったことで、ローマカトリック教会は以前ほどの権威を失い、医学への影響力も薄れていった。ローマカトリック教会から決別しイギリス国教会を創設した国王ヘンリー八世は修道院の解散を命じた。それまで病院はたいてい修道院の付属施設だったので、人々は入院ができなくなってしまったが、寄付で賄われる無料の病院（free hospital）が営まれるようになった。修道院付属の病院では修道士が医者の役割を務めたが、この時代にできた病院では研修を受けた医者が治療にあたり、医療が改善した。

１６６０年に理系分野の学者たちが創設した学会も、医学の発展に貢献した。これは時の国王チャールズ二世の勅許を得て王立学会となり、現在でもイギリス国内における科学の最高権威であり続けている。王立学会は新しい科学理論を知識層に信頼させ、その学会誌も新しい発明や発見を普及させるのに大きな役割を果たした。王立学会が出版したイギリス人学者ロバート・フックの『顕微鏡図譜』では顕微鏡を使って描かれたノミが初めて示された。王立学会のモットーは「誰の言葉もそのままに受け取るな」で、人々が既存の理論を疑うように仕向けている。

大学の医学部は、えせ医者やいんちきな薬の影響を阻むべく、医者に資格を授与するようになった。戦争では大砲や銃など新しい武器が使われはじめたので外科医は今まで見たことがないような怪我を治療しなくてはならなくなり、新しい治療法が考案された。

また、15世紀半ばから始まった大航海時代により、世界中から薬の原料となる植物が新たに届いた。たとえば梅毒を治すと考えられたユソウボクや、マラリアの薬となるキニーネを含むキナの木は医学の進歩に貢献した。

2. 科学の勃興と近代医学を導いた医者たち

この時期、医学の発達に大きな足跡を残した医者の中にベルギー人のアンドレアス・ベサリウスとイギリス人のトマス・シデナムがいる。

ヨーロッパ各国で活躍したベサリウスは死刑囚の体を解剖し、詳細な解剖学の本を著して、2世紀以降長きにわたって信奉されてきたガレノスの説の欠点を指摘した。ベサリウスの業績はすぐに広まったわけではなかったが、従来の定説を疑い覆した彼の研究姿勢は他の医者を刺激して、解剖学の先鞭をつけた。

「イギリスのヒポクラテス」と呼ばれるシデナムも古来の理論に異を唱え、患者を丹念に観察して症状を記録し、病気をタイプ別に分類した。シデナムの病気分類により診断の重要性が増した。それ以前、重要視されていたのは医者による予想だったのである。シデナムは貧血の治療に鉄分を使い、マラリアの治療にキニーネを使った最初の医者だった。シデナムの著した『医学観察』はその後200年医者の教科書として使われた。

イギリス人のウィリアム・ハーベイは、生きた動物の心臓を調べるなどして、血液循環を発見した。それまでの医学界ではガレノスの考えを踏襲した説、つまり血液は二種あり、それぞれ別の部分を流れ最後は体に吸収されるという考えが定説だった。ハーヴェイが生まれた頃、水を循環させる新しいタイプのポンプが発明されたが、この新しい工業分野の技術は心臓がどう動くかのヒントを与えた。ハーヴェイの大発見は解剖学の進展をもたらしたが、彼の発見が広く信じられるには時間を要した。

3．中世のなごり

ルネサンス期に急速な変化が見られたにもかかわらず、治療は旧態依然の側面が多々あった。4つの体液説に基づいた瀉血は、ハーヴェイがその誤りを指摘していたにも関わらずこの時代も行われていた。

医者にかかるのはまだ高額だったので、ほとんどの人は中世と同じ治療法を試みていた。薬局は薬を売り、理髪師が簡単な手術をし、えせ医者やいんちきな薬が相変わらず出回っていた。一般の人々は、迷信や根拠のない宗教的な助言にすがっていた。たとえば、王が触れれば瘰癧（るいれき）という皮膚の病気を治せる、という迷信により、数万もの人々が国王チャールズ二世のもとを訪れている。

病院は病人だけでなく救済すべき貧民のための施設でもあり、治る見込みのない病人や伝染病にかかった人は、入院できないこともあった。一般の人々は治療を家で行ったが、薬草の調合に長けた「賢い女性」が地域社会で活躍した。薬の処方などを記録して代々伝えている家族も出てきた。

4. ロンドンの大疫病

医学の知識や治療はまだ中世の状態から抜け出せていなかったことを如実に表すのが1665年に起きたロンドンの大疫病である。イギリスの居住環境は劣悪だったので、1665年も14世紀と同じくねずみについたノミが菌をまき散らしたことで病気が蔓延した。ロンドンの死者は市民の約20%にあたる10万人にのぼった。一握りの金持ちはロンドンから逃れることができたが、人口過密の貧民街は最も被害を被った。

人々は14世紀の黒死病流行時と同じく祈祷、瀉血、浄化や魔術を行った。最も異様な治療法は、腫れた部位に生きた鶏を巻き付けるというものだろう。彼らは自分の病気を鶏に移すことで治せると考えたのだ。

自治体もいくつかの対策を講じた。病人を隔離すべく病人の外出を禁止し、病人がいる家には玄関のドアに赤いバツ印を付け「主よ、あわれみたまえ」と書いた。劇場など人が密集する場所は閉鎖した。人同士が触れないように指導し、商店でのお金の受け渡しなども直接手が触れないようにさせた。死体は家々から遠い共同墓地に埋めた。犬と猫は疫病を持っていると考えられたので費用を払ってこれらを処分させた。

疫病は徐々に収まっていったが、その原因の一つが１６６６年に起こったロンドンの大火だ。この大火災はロンドンの中心部の大半を焼き尽くしてしまったが、結果的に町を殺菌消毒したと考えられている。

③１７００年頃～１９００年頃

１．ワクチンの開発

天然痘は感染力が強く、１７００年代まで致死率の高い病気だった。

イギリスの開業医エドワード・ジェンナーは、搾乳をする人が天然痘にかからないことに着目し、牛痘にかかった人の膿を健康な少年に接種した。後日さらに天然痘を接種したところ少年が天然痘にかからないことを発見した。これが最初のワクチン接種となった。

ジェンナーの発見はまもなく評判になり、海外にも伝わっていったが、ワクチン接種を認めない人もいた。牛の病気を人に植え付けることに不安を抱く人も多かった。ワクチン反対のパンフレットを配るグループもあった。

しかしやがて国会でも承認され、ジェンナーはワクチン接種の施設のための巨額な資金を提供された。１８４０年に貧困層の子どもは天然痘のワクチンを無料で受けられるようになり、１８５３年にはワクチンが新生児に義務化された。ところが、政府によるワクチンの義務化に不満を持つ人々もいた。彼らは、政府は人々の生活に介入するべきではないと考えていた。

このワクチンは大成功をおさめ、イギリスの天然痘患者は劇的に減った。ルネサンス期に医学の実験は行われるようになったが、一般の医者が自分の理論を試すために実験をすることはまだ稀だったので、ジェンナーの業績は大きな意味を持つ。ただしジェンナーはどうして彼のワクチンが有効なのかについてはわからなかった。この解明は次世代の医者が担うことになる。

2．細菌

ルネサンス期、医者は解剖学の重要性を理解するようになったが、病気の原因についてはまだ説明ができなかった。

微生物とその一種である細菌は17世紀後半に発見されていた。科学者たちは、これらは腐った食べ物や人間の汚物などの腐敗した物体から自然発生的に生じると考えていた。

人々が穢れた空気説をまだ信じていた中で、フランスの化学者ルイ・パスツールは、テンサイの絞り汁の発酵を調べて、それが酸っぱくなる原因が微生物であることを発見した。パスツールは空気中に微生物が存在し、殺菌した水を放置しておくと微生物が繁殖することを実験で証明した。彼は1861年に『自然発生説の検討』を出版して、それまで長く信じられてきた「生物は親なしに発生することがある」という自然発生説を否定し、哲学の分野にも影響を与えた。のちに彼は、微生物が腐敗や多くの病気の原因になることをつきとめた。パスツールの発見は、17世紀のオランダ人アントニ・レーウェンフックによる顕微鏡の発明が大きく寄与している。

パスツールの発見に対する人々の初期の反応は懐疑的だった。ごく小さな微生物が病気の原因とは信じられなかったのだ。しかし、やがて人々に受け入れられるようになり、イギリスの医者ジョゼフ・リスターはパスツールの理論をもとに消毒剤を開発した。またパスツールの発見は、イギリスの医者ジョン・スノウがこれに先行して行っていたコレラの原因についての研究を立証した。

ドイツの医者ロベルト・コッホはパスツールの研究をさらに発展させ、細菌の純粋培養に成功した。また、菌を可視化するための染色法を編み出した。彼の革命的な方法により、結核、コレラなどの細菌が特定され、細菌と病気の関係が明らかになっていった。さらに彼は発見を記録に残すために新しく発明されたばかりの写真も用いた。

3．看護の発達

病院は貧しい病人たちが収容される不潔で死や感染を想起させる場所だった。しかし、病院の衛生と看護の水準は19世紀に劇的に変わる。

その変化をもたらしたのはフローレンス・ナイチンゲール（1820〜1910）で、彼女は悪名高い仕事に新しい規律と職業意識をもたらした。彼女は裕福な家庭に生まれて不自由なく育ったが、家族の大反対を押し切って看護学を学び看護師になった。クリミア戦争（１８５３〜１８５６）が勃発するとナイチンゲールは女性看護師と共に戦地へ赴く。女性は男性の看護師に劣り邪魔だと考えられていたため野戦病院では歓迎されなかった。しかしナイチンゲールはヨーロッパで学んだ知識や技術を生かして施設を衛生的に保ち、患者のための水の供給を確保するなど、病院の状態を大いに改善した。このため42％だった患者の死亡率はわずか数％まで激減した。

クリミア戦争後、ナイチンゲールはイギリスで『看護覚え書』を著し、医療施設の衛生と看護師のプロ意識の必要性を訴えた。この本は何世代にもわたって看護学の教科書となった。また、人々から巨額な援助を受け看護学校を開き、多くの看護師を育てた。彼女が死亡した後、政府が看護師の登録制度を定め、すべての看護師に登録が義務付けられた。

ナイチンゲールの功績は病院の環境改善だけでなく、看護師という仕事を特に女性にとって価値があると見なされる仕事にしたことだ。この現象に呼応するように１９１６年には王立看護協会ができ、１９６０年からは男性も参加できるようになった。

クリミアで活躍した有名な女性にはメアリー・シーコール（１８０５〜１８８１）もいる。シーコールはジャマイカの女性で看護を母親から習った。１８５４年、彼女はクリミアでのボランティア看護婦として従軍しようとしたが、（おそらく人種差別が原因で）断られたため自費で戦地に赴き、戦場近くに宿舎を建て、そこで兵士の世話をしたり食事や物資を提供したりした。

4. 麻酔学

19世紀、病院の環境は衛生的になり死者の数は減ったが、それだけでは解決できない痛みと感染に取り組んだ医者たちがいた。

外科手術では傷そのものよりも手術の痛みに耐えきれず死亡する人が絶えなかった。そのため手術時の痛みを和らげることは外科医にとって大問題で、アルコールやアヘン、魔術の儀式で用いられる植物のマンドレイクなどが使われていたが効果は限定的だった。

エーテルも麻酔として使用されていたが揮発性と刺激性が高かったので、それに代わる安全な麻酔を探していたのがイギリス人ジェイムズ・シンプソンだった。彼はエジンバラ大学の助産術の教授で、女性が出産時に使う麻酔薬としてクロロホルムを採用した。ヴィクトリア女王の侍医として、女王の8人目の分娩でクロロホルムを使ったことで普及が促進された。しかしクロロホルムはしばしば心停止を起こし、患者の死を招いた。

局部麻酔は全身麻酔よりリスクが少ないので、多くの手術で使われた。アメリカの先駆的な外科医ウィリアム・ハルステッドは局部麻酔のためコカインを使用し、自らにも実験を繰り返したためコカイン中毒になってしまう。

麻酔の使用により患者の意識を無くすことができるようになったので、医者はより長く複雑な手術が可能になった。しかし、手術で患者の患部が長い時間さらされ病原菌に感染しやすくなったため初期の麻酔処方では死亡率が上昇した。医者は衛生環境の悪い状況では感染が広がりやすいことや、外科医の不潔な服が命取りになることを知らなかった。彼らは何年も同じコートを着ていることがあったが、そのコートには血や膿がしみ込んでいたのである。患者の家のように不潔な環境の下で手術をする場合もあった。また、手術に使う器具も洗われておらず汚かったので感染の原因となった。麻酔使用のために手術での死亡率が上がった１８４６年から１８７０年を手術の暗黒時代と呼ぶこともある。

5．消毒剤

感染症を減らすために二種のアプローチがあった。一つは傷口のそばの細菌を殺すための消毒剤、もう一つは傷口のそばに細菌が入ってくるのを防ぐ無菌法である。

ハンガリー出身の医師センメルヴェイス・イグナーツはさらし粉で手を洗うことで患者の感染の広がりを防止できることを示したが、それは不快なことだとして広くは受け入れられなかった。

イギリス人医師リスターは石炭酸（フェノール）スプレーが下水道処理場で臭いを抑えるのに使われるのを見て、手術室でこれを試し感染率が減るのを確認した。彼を批判する医者もいる中、１８６５年にパスツールによる微生物の研究を知ったリスターは、細菌が空気中にも手術道具の表面にも人々の手にも存在することを理解し、道具や絆創膏に石炭酸の水溶液を消毒液として噴霧するようになった。

リスターの男性外科病棟では、消毒液の使用前には約50％もあった死亡率が使用後には約15％に激減した。消毒液のおかげで実施された手術の回数は1867年から彼が死去する1912年の間に約10倍に増えた。このように麻酔と消毒薬によって感染症の併発が減りイギリスの外科手術の質は向上し、多くの命が救われるようになった。

19世紀後半には、細菌についての医者のアプローチは殺菌という考え方から無菌状態を作るというアプローチに変わっていった。道具は使用前にたいてい120度の蒸気で殺菌され、手術室のスタッフも入室前に手、服、マスク、手術用手袋、手術帽を殺菌した。手術室も几帳面に掃除され、無菌状態にされた。無菌手術により、石炭酸スプレーの使用を減らすことができた。

6．ロンドンで流行したコレラ

18世紀にはじまった産業革命により、人々は工場で働くためロンドンのような都市に出てきた。彼らが住んだところは密集した不潔な場所だったので、病菌が蔓延しやすかった。コレラはイギリスで19世紀に流行を繰り返し、何万人もの命を奪った。

パスツールらが、微生物が病気の原因となる汚染や腐敗をもたらすと指摘する前、人々は清潔な水やきちんと整備された下水道システムの必要性を理解していなかった。ほとんどの家にはトイレがなく共同の屋外トイレを利用していた。それらは汚水槽の上にたてられ、汲み取り人が回収した汚水槽の汚物と家のゴミは川に投げ捨てられるか、積み重ねられ雨で洗い流された。水道会社は道路に送水ポンプを設置したが、その水はたいていゴミや汚物で汚染されていた。

コレラは病原体を含んだ下水道が飲料水に混じることでどの階層の人にも広がった。コレラにかかると激しい下痢に見舞われ、重症の場合は大量の水やミネラルを喪失して死に至る。これらの原因は誰にもわからず、穢れた空気説がもっとも妥当な説明だと思われた。政府は死体の埋葬を規制し始めたが、これはほとんど効果がなかった。

ロンドンの医者スノウは、水が伝染病を媒介すると考えていたが証拠が足りなかった。ロンドンのソーホー地区でコレラが流行した際、スノウはそこの住人に聞き込み調査をしてどこでコレラが発生したかを地図に書き留め、１８５５年『コレラの感染様式について』というレポートにまとめた。スノウの調査は、犠牲者がみな同じ送水ポンプの水を使っていたことを示したため、彼は地域の役所にポンプの取っ手を取り除くように要請した。これがコレラ蔓延の終息につながった。後に、近くの汚水槽にひびがありそこから汚水が送水ポンプに漏れだしていたことが判明した。

スノウは自分の理論を立証するためジェンナーのように観察と証拠を重要視し、後世に大きな評価を得た。しかし、その理論が広く伝わったのは彼が若くして病死した後だった。

7．１８７５年の公衆衛生法

19世紀半ばまで人々は、政府が公衆衛生に介入すべきではないと考えていた。しかしスノウが汚水とコレラの関係を発見し、パスツールが微生物と病気の関係を発見したことなどで、人々の態度が変化してきた。つまり、人々は環境を清潔に保てば病気の蔓延が防げることを理解し、道路や水道を清潔に保つために政府の対応が必要だと気づくようになったのである。

１８６７年には第二回選挙法改正が行われ、都市労働者の男性まで選挙権が付与された。これによって増えた約１００万の票により都市労働者の公衆衛生に対する懸念が政府に届き、政治家がそれに対処しなくてはならない状況になった。その他、チャールズ・ディケンズのような作家やオクタヴィア・ヒルのような社会改革者が、為政者の目を最悪の状況の中で暮らしている貧しい人々へ向けさせた。

１８７０年代に入り政府は公衆衛生に関する法律制定に本格的に乗り出した。その集大成として、１８４８年に制定した公衆衛生法を１８７５年に強化し、各地方行政庁が浄水の供給や衛生状況が法に則っているかを調べる視察官の配置を義務化した。１８７５年には職人・労働者住宅改良法も成立し、地方自治体がスラムを買い上げ新しい政府の基準に適合するように住宅を再建築させた。また、１８７６年の河川汚染防止法により、川へ下水を流したり産業ゴミを投棄したりすることを禁止した。

政府がジェンナーの研究をもとにワクチン接種を義務化したように、１８７５年の公衆衛生法も、スノウやパスツールなどの研究の上に成り立っている。研究者たちの科学的な証拠と、人々の政府に対する態度の変化が相まって、政府を動かす力に発展した。

④１９００年頃~現在（２０１５）まで

1．病気の原因に関する新しい学説

パスツールやコッホにより細菌の研究は進んだが、原因が説明できない病気があった。その原因はウイルスといわれる微生物で、小さすぎて顕微鏡では見えなかった。

１８９２年、ロシアの微生物学者ドミトリー・イワノフスキーがモザイク病にかかったタバコ（注：植物のタバコ）を調べていて、細菌濾過機を通した後の水に残っている極端に小さい微生物が病気の原因であることを発見した。オランダの化学者マルティヌス・ベイエリンクはそれらの微生物が細菌と違うことを発見し、ウイルスと名付けた。ウイルスは細菌と違って抗生物質（91ページ）に耐性があったので、医者は抗ウイルス薬を処方するようになった。当時の抗ウイルス薬はウイルスの繁殖を抑えるだけだったが、ウイルスの発見は病気の治療を向上させた。

一方、イギリス人科学者フランシス・クリックとアメリカ人科学者のジェイムズ・ワトソンは遺伝子の研究に大きな足跡を残した。遺伝子は遺伝情報の一つの単位で、ＤＮＡに遺伝情報が蓄積されている。彼らは１９５３年にＤＮＡの二重らせん構造を解明した。ＤＮＡに遺伝子に関する見識は高まり、遺伝性疾患を治療することも不可能ではなくなった。遺伝子研究で飛躍的な展開があったのは１９９０年から始まり２００３年に終わったヒトゲノム計画だ。この計画ではアメリカを中心に多くの国や分野の研究者がいろいろな機関から資金援助を受けて協力し合い、人のＤＮＡの全塩基配列を解読するという成果を残した。

２．診断の発展

１８９５年、ドイツの研究者ヴィルヘルム・レントゲンは人体を通り抜けて骨の影を映す線を発見し、これをX線と名付けた。この発見でレントゲン撮影による診断の道が開かれた。

血液検査は当初輸血の前に血液型を調べるために導入されたが、いろいろな病気を調べるのに使われるようになっていった。たとえば患者のコレステロール値を測るのに使われ、心臓まひや発作を防ぐのに効果を上げた。卵巣がんや前立腺がん、乳がんなどの可能性を調べるのにも使われている。

コンピューターの進歩は超音波検査やCTスキャン、MRIスキャンなどの技術開発をもたらした。これらのおかげで医者は病人の体内で何が起こっているかを詳細に把握し、病気の初期に適切な治療を施すことで病状の重症化を防げるようになった。

また、１９００年頃から発明された器具で、人々は自分自身で体の測定と健康管理ができるようになってきた。たとえば血圧計は１８８０年代に発明された。血糖値の測定器は20世紀半ばに開発され、糖尿病患者に用いられた。

３．ペニシリンの発見

19世紀にパスツールが病気の原因として微生物を発見したが、微生物が媒介する病気の治療に発展をもたらしたのは、20世紀になって発見された最初の抗生物質ペニシリンだった。

第一次世界大戦で軍医として働いたイギリス人のアレクサンダー・フレミングは、多くの負傷兵がブドウ球菌による感染症で死んでいくのを目の当たりにした。戦後、彼はブドウ球菌を培養中の皿にアオカビが生えており、カビの周りの菌だけが増殖していないこと、つまりアオカビに抗菌作用が含まれることを発見し、アオカビの学名ペニシリウムにちなんで、その抗菌物質をペニシリンと名付けた。フレミングは彼の発見を1929年から1931年の間に発表したが、世間から資金を提供されずさらなる研究ができなくなった。

変化が訪れるのはそれから約10年後だった。1938年から1940年の間にペニシリンの実用化を試みたオーストラリア人ハワード・フローリーとドイツ生まれのエルンスト・チェインがイギリスの大学で純粋なペニシリンを抽出することに成功する。

第二次世界大戦で戦っている兵士の傷を治療するのにペニシリンは絶大な効果があることにフローリーは気づいていたが、イギリスはその生産に興味を示さなかった。そこで、彼はアメリカにわたり、アメリカ政府と製薬会社を説得した。1941年にアメリカが参戦するとアメリカ政府はペニシリンの大量生産を後押しした。1943年までにはイギリスでもペニシリンの大量生産が始まり、1944年までに戦地での需要を満たせるようになり、多くの負傷兵を救った。フレミングとフローリーとチェインは1945年にノーベル生理学医学賞を受賞した。

第二次世界大戦後、ペニシリンの価格は低下し、手に入りやすい薬になった。他の種類の抗生物質も発見され、様々な細菌感染症の治療に使われている。

4．現代の治療

ペニシリン以外にも、科学者たちは多種の治療法を発見した。その中に細菌を殺す合成物質と化学物質を使った特効薬がある。

19世紀末からドイツのパウル・エールリヒは抗体として働く化学物質の研究を始めた。細菌だけを攻撃し体には無害な特効薬を目指し、600以上の組み合わせを試みたが成功しなかった。1909年にチームに加わった秦佐八郎（はたさはちろう）は606番目の組み合わせが機能していることを発見する。サルバルサン606と名付けられたこの薬は1911年に初めて治療に使用された。

ドイツ生まれのゲルハルト・ドーマクは1932年、赤の色素プロントジルが連鎖球菌の感染を抑えることを発見する。これが二番目の特効薬プロントジルの開発につながった。エールリヒらの発見以降、製薬工業が飛躍的に発展し、製薬会社は新薬の研究や製造に取り組んだ。

ガンの治療で、手術を伴わない最初の成功例は放射線療法だった。これは、X線とガンマ線を使ってガン細胞を死に至らしめる療法だ。放射線が1896年から98年にかけて科学者アンリ・ベクレル、マリ・キュリー、ピエール・キュリーによって発見されたことで可能になった。

また、第二次世界大戦で使用されていた化学兵器のマスタード・ガスがガンの腫瘍を小さくすることを医者が発見し、化学療法がはじまった。１９９０年代後半からは、ガン細胞の増殖を防ぐ分子標的治療も用いられている。

5．現代の手術

手術は20世紀に急速に向上した。血液型の発見で輸血が安全になり、今では心臓移植までできるようになっている。今重要になっているのは手術の精度である。

輸血は17世紀から行われていたがほとんど成功しなかった。１９００年、オーストリアの科学者カール・ラントシュタイナーが血液型を発見したことで、違う血液型同士の輸血で血液が凝固してしまうなどの致死的なケースが減った。

血液型が発見された後も、血液を体外に取り出したときに凝固してしまう問題があったが１９１４年、クエン酸ナトリウムを血液に混入すると固まらないことを何人かの医者がそれぞれ発見した。血液型と抗凝固剤の発見により、血液を採取して保存し、必要なときに輸血に使用することが可能となり、第一次世界大戦の戦場で保存血が使われた。

移植手術は１９０５年に初めての成功例となる角膜移植が行われた。また第一次世界大戦中、医者は皮膚移植の技術を発達させた。第二次世界大戦後は臓器の移植も行われるようになった。臓器で初の移植成功例は腎臓で１９５０年代のことである。１９７０年代になると効果的な免疫抑制剤が開発され、移植手術のリスクが減少した。

1980年代には鍵穴手術の技術が発展した。これは体に小さな切り口を開けそこから内視鏡や顕微鏡を入れて行う手術であり、医療器具の改良も手伝って患者の体への負担が減り手術の安全性が増した。

手術の精度を高めるのにロボットも一役買っている。手術支援ロボットを使った手術は1980年代に初めて行われたが、広く使われるようになったのは2000年以降にダ・ヴィンチシステムという名のロボットが導入されてからである。手術支援ロボットのおかげで、患者の感染や失血のリスクや手術に対する不安を減らしつつ正確な手術を行える可能性が高まった。

6．国民保健サービス（NHS）

20世紀初頭、一般の人、特に貧しい人は診察を受けたり薬を買ったりする余裕がなかった。人々の健康状態は悪く、1899年に第二次ボーア戦争のために集まった志願兵の40%は兵役に出られる状態ではなかった。

1911年、自由党内閣は国民保険法を成立させた。この法により保険料を払った労働者は健康保険を使うことが可能になったが、第一次世界大戦とそれに続く経済不況で、政府は医療保険のための資金を増やせず保険制度は停滞した。

第二次世界大戦は人々の医療に関する態度を変えた。ドイツからの空襲、特に1940年のロンドン大空襲時、政府は緊急医療サービスを組織し、空襲による負傷者を無料で治療した。

１９４2年、学者で社会改革主義者のウィリアム・ベヴァリッジがのちにベヴァリッジ報告として有名になるレポートを出版し、国民すべてが「ゆりかごから墓場まで」つまり出生から死亡まで多種の分野で政府による社会保障を受けられることを求めた。このレポートはベストセラーになった。

第二次世界大戦後にベヴァリッジの提案がもととなり労働党内閣で国民保健サービス（以下、ＮＨＳ）が導入された。国民の保険料と政府の財源で賄われるＮＨＳにより国民の医療費が原則無料になり、１９４8年までにほとんどの病院と医者がＮＨＳに参加した。現在、イギリスの医療はＮＨＳを受けられる公的医療機関と、ＮＨＳを使わずに患者が高額な医療費を負担する私的医療機関の二本立ての体制をとっている。

19世紀以降、政府は危険な病気を予防するワクチン接種を開始し、さまざまな効果をあげてきた。ジフテリアは喉や鼻にジフテリア菌が感染して発生する病気で、毒素が心臓の筋肉などの麻痺や心不全を起こす。１９４０年にジフテリア患者は約6万人にのぼり、そのうち約３０００人が死亡した。そこで政府は新聞広告やラジオ放送やポスターを使ってワクチン接種キャンペーンを展開する。キャンペーンは成功し、１９５7年にはジフテリアの患者は38人、死亡者6人まで激減した。

ポリオは子どもに感染しやすい病気で、消化器官や血流、神経系を侵し麻痺を引き起こす可能性がある。１９４０年代後半から１９５０年代にかけてイギリスではポリオが流行し、この間3万人を超える子どもに関節が固まってしまうなどの後遺症を残した。イギリスでの最初のポリオワクチンは１９５６年に始まり、40歳未満のすべての人がワクチンを受けるべく国をあげてのキャンペーンが行われた。キャンペーンは成功し、１９７０年代後半までに患者数はほぼゼロになった。

7．ライフスタイルキャンペーン

20世紀になると科学者は人々のライフスタイルの嗜好と健康の関係を指摘し始めた。生活が便利になり活発に活動しない生活を送ることで人々の肥満の傾向が強まったので、政府は生活改善キャンペーンを始め、食生活の改善や日々の運動を勧めた。たとえばアルコールの過剰摂取が肝硬変をはじめいくつもの病気の原因になることをアピールした「飲み過ぎ注意」キャンペーンを２００４年に始めた結果、１９５０年から２００４年まで国民全体で増えていたアルコール摂取量が２００４年から減り始めた。

イギリスでは肺ガンはよく見られる病気で、現在ではガンによる死亡者の約20％を占める。喫煙人口は第一次世界大戦中、特に兵士の間で増え、すぐに女性の間にも増えた。

１９５０年にイギリスの研究者リチャード・ドルとオースティン・ヒルが喫煙と肺ガンに関連性があることを証明すると、政府は人々に注意を喚起するようになった。１９６２年、王立内科医協会はタバコを禁じる広告を推奨した。１９６５年にはテレビによるタバコのコマーシャルが禁止され、１９７１年にタバコ会社はタバコのパッケージに健康に関する注意書きを印刷しなくてはならないことになった。２０００年代に政府は公共の場所での喫煙を禁止した。近年は、車や家の中ならびに子どもの前での喫煙をやめることや禁煙を後押しするキャンペーンを行っている。２０１５年には、タバコの箱にブランドのカラー、ロゴ、画像などを印刷することを禁止した。これはオーストラリアで最初に規定された法に倣っている。

これらの対策により喫煙者数は減少し、１９４８年に82％だった男性喫煙者率と41％だった女性喫煙率は２０１９年には共に15％前後になった。肺ガンとの闘いは科学技術と政府のキャンペーンが歩調を合わせて取り組む良い例になっている。

政府による国民の健康に対するアプローチはＮＨＳの創設をきっかけに大きく変化した。人々は19世紀まで「政府が個人の健康問題に介入するべきではない」と考えていたことを考えると、大きな方向転換と言える。政府は治療やワクチン接種を供給するだけでなく、そもそも病気にかからないように人々の生活に関与し続けている。

以上が「イギリスの医学の歴史」というテーマ学習のあらすじだが、どんな感想を持たれただろうか。歴史の流れで見ると、キリスト教の聖職者が強い勢力を誇っていた中世の世界から、ルネサンス、大航海時代、宗教改革を経て、絶対王政期に入り、産業革命を経験して近代国家に至り、二つの世界大戦を経て、科学技術の発達とともに公民意識が芽生えてくる現代までを網羅している。このダイナミックな世界史を流れるようにご理解できたのではないか。具体的には、医学における1000年近い通史をたどることで、それぞれの時代の社会の特徴、為政者や知識層の考えや道徳観、教会の権力、一般の人々の日々の暮らし、ヨーロッパに通底する古代ギリシャ・ローマの伝統、哲学や文学の影響、科学技術の発展や資本主義経済活動の進展、戦争と科学技術の関係、女性の進出、人権と政府との関係や国際間の協力など様々な要素がちりばめられ、それぞれが有機的に結びついているのがお分かりいただけたかと思う。

学校の教科（科目）で考えれば、歴史という科目の中に、物理学や化学、数学（統計学）、天文学、哲学、宗教学、国語、古典、政治、経済、公民、地理、保健などが含まれていると言える。歴史を軸に、教科横断的な学習が展開していくのだ。

ここで紹介した一連の話は大筋で、このテーマを勉強する生徒は自分で資料を探し関連図書を読んで、さらなる知識を肉付けし思考を深めていく。文中で日本人の科学者として秦佐八郎が紹介されたが、もし私が学習者なら、世界の細菌学やイギリスの医学界に貢献した北里柴三郎の活躍なども併せて調べたい。

さて、ここで「**イギリスの医学の歴史：1250年頃から現在まで**」の2018年の試験問題と解答例を紹介しよう。所要時間は1時間弱だ。

問1　病院で行われていた治療が、1250年頃から1500年頃と1700年頃から1900年頃ではどのように異なるか。一例をあげて説明しなさい。

〈解答例〉

1250年頃から1500年頃の病院はたいてい修道院に付属しており、医学の心得がない僧侶や修道女が薬草による手当など簡単な治療を施すだけだった。1700年頃から1900年頃は病院として建てられた建物で、医学の勉強を修め医師免許を持った医者が手術を含む広い範囲の治療をするようになった。また、18世紀半ばからはフローレンス・ナイチンゲールの方法に沿って研修をうけた看護師も医者をサポートした。

問1では、「病院で行われていた治療」が二つの時代でどう違うかを述べる。これはいろいろな事象の中から「**似ている点**」を把握してそれを排除し、「**違う点**」を抽出していくという作業だ。

問2　1700年頃から現在（2018年）に至るまで、病気の予防がなぜ進展したかを説明しなさい。

次のことがらを答えに含めても良い。

・1875年の公衆衛生法

・健康的な生活を促進するためのキャンペーン

自分で探した情報も**必ず**使いなさい。

〈満点を取った生徒の解答〉

1700年代以降、医学に関する科学的な発見が相次ぎ、教会の権威が衰えるにつれ、病気を予防するために科学的な方法が用いられるようになった。それらの方法は細菌に関する一連の理論に基づいている。たとえばルイ・パスツールは1861年に『自然発生説の検討』を発表し、腐敗は自然に発生するものではなく特定の微生物が原因になっていることを証明した。続いてロベルト・コッホが1871年に炭疽(たんそ)菌を検出し、1880年代には家禽(かきん)コレラのワクチンを開発した。どの細菌がどの病気の原因になるかを発見することで、科学者たちはエドワード・ジェンナーが1798年に発見したワクチンを応用して、特定の病気に効くワクチンを作って予防ができるようになった。1938年にジフテリアが流行して3000人が死亡した後、初めてジフテリアの集団ワクチン接種が行われた。以来、集団ワクチン接種が行われるようになり、一番最近ではHPV（注：ヒトパピローマウイルス）の集団接種が２００８年に実施された。

病気の予防を促進した別の要因は政府が１８７５年に制定した公衆衛生法である。これに先立って出された１８４８年の公衆衛生法では地方自治体に対し、街に清潔な飲み水と下水道整備を供給し道路からゴミを取り除くようアドバイスしていた。しかしこの法は強制ではなかったので、多くの自治体は従わなかった。こうした態度が１８５４年にロンドンでコレラが大流行した原因の一つだと考えられている。ジョン・スノウはコレラが水を媒介して広がることを明らかにし、下水溜めから井戸に汚水が漏れていたことがコレラ蔓延の原因になっていることをつきとめた。スノウの研究は認められるまで何年も要したが、１８７５年の公衆衛生法成立に貢献したと考えられる。この法は、地方自治体が人々に安全な飲み水を供給し、下水道を整備し、清潔な街の環境を保つことを義務化した。さらに売り物の食料品の安全性を調べるようにした。この法によって、汚水や不潔な環境が原因となる病気が減り、病気の予防につながった。

病気予防のためのさらなる要因は、健康的な生活を促進するためのキャンペーンである。どんな生活を送っているかによってどんな病気にかかるリスクが高まるかが究明されるようになったことがキャンペーンを可能にした。たとえば喫煙により肺がんのリスクが高まることが医学的に証明されたので喫煙者を減らすべく多くのキャンペーンが実施され、法律も施行された。２００７年に職場での喫煙は法律違反となり、２０１５年には18歳以下の人が同乗している車の中での喫煙が禁止された。タバコのテレビ広告も放送禁止になり、商店でも公にタバコの公告をすることが許されなくなった。さらに、タバコのパッケージには喫煙が原因となる健康上の害が印刷されるようになった。これらのキャンペーンで人々を喫煙から遠ざけ肺ガンの患者を減らすことを期している。

病気予防に果たした貢献にはジョゼフ・リスターが1867年にその効果を発見した石炭酸スプレーもある。これにより細菌を取り除くことができるようになった。さらにグスタフ・ノイバーは、病気の伝染を防ぐために医療道具を使用前に殺菌消毒する必要があると唱えた。センメルヴェイス・イグナーツは消毒剤を使った手洗い法を奨励し、医者が手術をするときやお産に立ち会うときに清潔な服を着る必要性を訴えた。

問2は、18世紀から現在までに病気の予防が進歩した「**原因**」をつきとめ、それによって何が、または誰がどう「**変化**」し、「**結果**」はどうなったかを見極める。このように長い期間を扱う問題では、それまで当たり前だった考え方が劇的に変わるパラダイムシフトも学べる。

解答用紙3ページにわたりぎっしりと書き込まれた解答は、科学の進歩、法律、政府のキャンペーンという三つの要因をあげ、問いに完全に答えている。時系列的には、最後の段落の内容は最初に登場したルイ・パスツールの話のあたりに挿入された方がより適していたが、時間が限られている試験ゆえ、この生徒はまずは一番重要と考えられる事例を先に書き、最後に時間と行数が少し余ったので、さらなる段落を書き足したのだろう。このようなほぼ完ぺきな解答を書くには歴史上の事実を正確にとらえる理解力も必要だが、文章を組み立ててわかりやすく段落に分け、文と文とを読みやすくつなぎ、全体として同じトーンで読み進めることができるような巧みな筆致力も必要だ。この生徒はその両方を兼ね備えていると言える。

問3と問4は選択問題でどちらかひとつだけ解答すればよい。

問3 「1250年頃から1700年頃にかけて、病気の原因に対する理解はほとんど進歩しなかった」。あなたはこの見解にどのくらい賛成するか、説明しなさい。
次のことがらを答えに含めても良い。
・1665年にロンドンで起こった大疫病
・トマス・シデナム（注：17世紀のイングランドの医者）
自分で探した情報も**必ず**使いなさい。

〈良い点を得た生徒の解答〉
この時期、病気の原因に対する理解はほとんど進歩しなかったと考えられる。なぜならローマカトリック教会が大きな権力を握っており、医学上の新しい学説の普及を妨げていたからだ。教会は人々に、病気は神の罰だと説き、治療法として祈祷や断食などを推奨していた。また、教会は人体の切開を禁止していたので、医者は人体の解剖ができず、生体構造を学べる機会もなかった。

医者の多く、特に中世の医者も従来の学説をそのまま信じていた。たとえば、医者たちは患者の局部的な症状を見るように教えられており、全体的な症状を考慮しなかった。また、古代ローマのガレノスが唱えた四つの体液説がルネサンス時代の末期まで広い支持を集めていた。だから病気の原因に対する理解はほとんど進まなかった。

一方、15世紀に活版印刷機が発明されると新しい知識が広まる素地ができた。それでも古い学説が相変わらず支持されており、多くの医者はなかなか治療の方法を変えようとせず、新しい考えが医者や人々に受け入れられるには長い時間を要した。

しかしながらルネッサンス後期の17世紀、医者のトマス・シデナムが新しい治療法を使い始めた。これにより、病気の原因に対する理解は進歩したと言える。シデナムは古代ギリシャのヒポクラテスに習って患者を注意深くくまなく観察し、症状を総合的に捉え、その正確な記録を残して病気を分類した。シデナムのおかげで医者は症状を全体的に観察するようになり、症状で病気の予測がたてられるようになった。

１６６５年にロンドンで腺ペストが大流行した際、病気を予防しようとする対策が取られたことは病気の原因に対する理解の進展を意味する。14世紀半ばにイギリスで黒死病が大流行した時は不衛生な環境が細菌の繁殖を加速させたが、１６６５年の大流行では政府が環境を劣悪な状況から改善するように措置を講じた。たとえば、病気を媒介すると信じられていた犬と猫を殺処分したり、道路を清掃して清潔に保とうとしたりした。このことから、当時の人々は病気が不潔な物や腐った物に起因すると考え、病気の蔓延を防ぐために住環境を不潔な状態で放置しないようにしていたことがわかる。病気の原因に対する理解は進み、環境は衛生的になってきた。

結論として、１２５０年頃から１７００年頃にかけて病気の原因に対する理解はほとんど進歩しなかったという見解に賛成する。教会の権威やすでに確立された学説への信奉が根強かったからだ。しかし、イングランドにおけるルネサンスの後期には新しい考えを表明する医者や研究者が現れ、政府も環境を清潔に保つべく施策を講じたことから、１６００年代から病気の原因に対する理解は少しだけ進んだと私は信じている。

問3では中世から近世にかけて医学がほとんど進歩しなかったという見解に対して賛否を述べるが、ここでは何が「**変化**」し、何が「**継続**」したか、に注力する。そして、どの見解についてどれくらい賛成または否定するかという理由を複数述べ、最終的な「**判断**」を下し、それに至った経緯を「**説明**」する。生徒の主張ははっきりしているが、この生徒が高得点を取れなかった要因として、教会の権威が16世紀に各地で起こった宗教改革によって低下した事実を書かなかったことや文章のつなぎが少しぎこちないことなどがあげられる。

問4　「1700年頃から1900年頃における手術の進歩は1900年頃から現在までの手術の進歩に比べてより重要性が高い」。あなたはこの見解にどのくらい賛成するか、説明しなさい。

次のことがらを答えに含めても良い。

・消毒剤

・移植

自分で探した情報も必ず使いなさい。

〈高得点を取った生徒の解答〉

私は「1700年頃から1900年頃における手術の進歩は1900年頃から現在までの手術の進歩に比べてより重要性が高い」という意見に、全面的ではないものの賛成する。その理由として前者の期間には消毒薬や麻酔薬の発達が見られたが、後者の期間にかけては手術の方法に前者の期間ほど劇的な変化はなかったからだ。

まず、1848年にジェームズ・シンプソンが医療用の麻酔薬としてクロロホルムを使い出した。これ以前には、患者は手術中完全に目覚めていたので、患者は手術の痛みのショックで死亡することが多かった。また、患者が痛がる故に手術にかける時間は短かったので複雑な手術はできなかった。よって麻酔薬はその後の手術を永久に変えたと私は考えている。なぜなら麻酔薬のおかげで医者はそれまでできなかった長く複雑な手術ができるようになったからだ。しかし手術に与えた効果は限定的だった。15歳のハンナ・グリーナーが手術中に投与されたクロロホルムが原因で死亡して以来、多くの医者が麻酔を使うのをためらうようになった。

1700年頃から1900年頃に見られた別の進歩は、手術で消毒剤が使われるようになり、手術による死亡率が激減したことだ。消毒剤開発の先駆者となったジョゼフ・リスターは1867年に石炭酸の水溶液を手術の器具や患者の傷口に噴霧した。これにより傷口が菌の感染から守られ、腔内の手術が成功した初めてのケースとなった。リスターの消毒液はすぐに広まったわけではないが、徐々にその効果が知れわたり消毒剤を取り入れる医者が増えていった。麻酔剤と消毒剤の導入により、より複雑で安全な手術ができるようになったので、この時期は手術の歴史上最大の変化があったと言える。

しかしながら、外科手術上の重要な発展のひとつは20世紀の臓器移植の成功である。移植した臓器が免疫により拒絶反応を起こす問題などで移植手術はなかなか成功しなかったが、1963年に人体で初めて行われた肺移植では患者が数週間生き永らえ、医学の発展の大きな証となった。その後心臓移植を含め多くの臓器の移植の成功例が出たものの、現在でも移植手術は不成功のリスクが高いため、その効果はまだ限定的だと言える。

よって、私は冒頭の意見にほぼ賛成する。1700年頃から1900年頃までの期間におけるシンプソンとリスターの業績がなければ、医者は今日行われているような人の命を救うことができる手術にとりかかることができなかったかもしれないからだ。

問4は18世紀前後と20世紀前後の期間の比較だ。どちらの期間が外科手術の歴史上、医者にとって、そして患者にとって「**重要性**」が高いか、を論じる。「**重要性**」を決める要因はいくつかある。たとえば、その時代に史上初めて起こった事件や発明、発見されたこと、大勢の人に影響を与えた事件や物、後世の人々にどう影響を与えたか、などである。

解答用紙3ページをフルに使い、美しいつづり字で書かれた答案には、それぞれの時代における医学の業績と発展が簡潔に例示されている。この生徒はそれらに自分のコメントを添えて判断基準を示し、自分が下した評価を明確に裏付けている。文中の人名のつづりや年号も正確で、使われている語彙や言い回しから生徒の知性を感じた。

③ イギリス国内の社会問題

ここでは「ノッティングヒル地区の移民：1948年から1970年頃まで」という問題を紹介しよう。ノッティングヒル地区はロンドンでも有名な繁華街を含み、1999年にはその繁華街を舞台とした映画『ノッティングヒルの恋人』が上映されたこともあり、その名が世界中に知られるようになった。ノッティングヒルには、商店街、こぎれいな住宅街や庶民的な家が並ぶエリアがある。映画の撮影地となったエリアは世界各国からの観光客が絶えない活気にみなぎったショッピングストリートだ。通りの両側に無数のアンティークショップや服屋、土産物屋が並び、通りの中央にはあふればかりに積まれた野菜や果物を売る屋台、花に包まれた屋台、アクセサリーやおもちゃを売る屋台などが所狭しと続く。色彩豊かな商品をバックに売り手と買い手の会話がはずみ、そこを訪れる人に高揚感を与えてくれる街である。

毎年夏には二日間にわたって住人が中心となって企画するカーニバルが繰り広げられ、華やかな衣装をまとい頭に飾りをのせたダンサーとカリブ海諸国の軽やかな音楽を奏でる楽団がノッティングヒル周辺を昼夜練り歩く。数百万の人を集めるこの有名なお祭りを一度見物に出かけたが、陽気な住人たちのエネルギーに観客としての私はただ圧倒されるばかり。過去にそこが数々の痛ましい事件の現場となっていたことなど、思いもよらなかった。

いったい、この元気いっぱいの街で何があったのか。少々解説を加えたい。

ロンドン中心にほど近いノッティングヒル地区は、第二次世界大戦で空襲を受けて荒廃した人気（にんき）のない場所だった。家賃が安かったこと、すでにそこに住んでいた移民を頼って来た人が多かったことなどで、各国からの移民、特にウィンドラッシュ移民が急増した。ウィンドラッシュ移民とは、エンパイア・ウィンドラッシュ号という船に乗ってカリブ海諸国から渡ってきた人々を指す。第二次世界大戦後の労働力不足を補うためイギリス政府は旧大英帝国植民地やイギリス連邦の移民を招致したのである。ノッティングヒルはイギリスで最もカリブ海諸国の出身者が多い場所の一つとなり、その数は約30万人にのぼった。人々は不衛生な住居に密集して住むようになったが、悪名高い不動産屋ピーター・ラックマン（Peter Rachman）は、ウィンドラッシュ移民に高い賃貸料を押し付けた。彼自身、ポーランドからの移民であったが、カリブ海諸国の移民がロンドンの他の土地では受け入れられずノッティングヒルに住むしかないという弱みにつけこんだのだ。ラックマンの横暴ぶりは、後年、英語辞書に「無節操な家主による脅しや搾取」という意味の「ラクマニズム（Rachmanism）」という新語となって登録されたほどである。以前からの住人は大勢の移民の流入で職や住居を奪われたりするのではないかと恐れ、人種差別感情も相まって、双方の間に緊張が生じていた。

イギリス人から冷遇されながらもウィンドラッシュ移民たちは自らの文化、特に音楽をイギリスで楽しむことは忘れなかった。当時、ほとんどのナイトクラブは白人専用だったが、ジャマイカ出身のカウント・サックルはレゲエなど故郷の音楽を流行らせ、ロンドンの有名歓楽街ソーホーのクラブで人気ＤＪとなり、自分のナイトクラブも経営するようになった。彼のように活躍する音楽関係者も出てきて、ノッティングヒルが活気づく一面もあった。

しかし、以前からの住民と移民との緊張は高まっていく。当地区では政治家オズワルド・モズレーが移民反対を唱えていた。１９５８年にテディ・ボーイズと呼ばれる白人のギャング集団など彼の説を信奉する人々が移民の家を襲撃する暴動を起こしたが、警察はその鎮圧に消極的だった。カウント・サックルが演奏していた建物は火をつけられた。

黒人による権利擁護運動は盛んになっていき、トリニダード・トバゴ出身の活動家クラウディア・ジョーンズは、移民の連帯を期して西インド諸島新聞という新聞を創刊した。（注：カリブ海諸島と西インド諸島はほぼ同じ。）さらに移民の文化を団結して祝福するため、そして人種間の緊張を緩和するため1959年1月にロンドンの中心地セントパンクラスの公会堂でカーニバルを行った。彼らのカーニバルは、アフリカに起源を持つカリブ海諸国の人々の伝統的行事である。この催しはイギリスの公共放送局ＢＢＣでも放送され、のちに夏の風物詩ノッティングヒル・カーニバルに発展した。しかし同年アンティグア出身の大工ケルソー・コクランが殺害されるに至り、住民間の敵対は頂点に達した。

１９６０年代には白人の社会活動家ブルース・ケンリックなどの尽力で居住環境が改善され始めたものの、移民への阻害はやまず、１９７０年には歴史に汚点を残す事件がマングローブというカリブ料理レストランでのできごとをきっかけに起こる。黒人の活動家の集会場となっていたマングローブには、アメリカで黒人の権利を求めて戦っていたブラック・パンサー党に影響を受けて創設されたイギリス・ブラック・パンサーのメンバーなど多くの個人やグループが出入りしていた。警察は、麻薬を摘発するという名目で頻繁に立ち入り、店内を荒らしていた。（一度も麻薬が見つかったことはなかった。）警察の度重なる横暴に憤った移民たちはプラカードを掲げて警察署まで行進する途中で警察と衝突し、レストラン経営者をはじめ9人が逮捕される事態に陥った。9人は正当性を証明するために法廷で戦う。世間の耳目を集めたこの裁判は中央刑事裁判所で二か月かけて行われ、5人が完全に無罪放免となったことに加えて、事件の原因が警察による人種的憎悪によるものと初めて法的に認められたケースとなった。

第二次世界大戦後、はるばる海を越えて訪れたカリブ諸島の人々の中には大戦中に大英帝国の一因としてイギリスのために戦った兵士も少なくなかった。そんな人々を待ち受けていたのは人種差別で、彼らを入店させない飲食店や彼らに物を売らない商店もあった。また、十分な教育を受けてきた移民もその能力や技術を生かせる職場に就くことは困難だった。

1960年代半ばから後半にかけて、ロンドンでは「スウィンギング・シックスティーズ（Swinging Sixties）」と呼ばれる若者を中心とした新しい文化が花開き、多様性に寛容を示す側面も見られた。また職業や住居に関して差別を撤廃する法律も施行された。しかしながら現実には移民、特に黒人への差別はほとんど改善されなかった。こんな逆境の中でも、移民たちの文化を祝うカーニバルは内外の人気を博して規模が拡大し、今ではヨーロッパで最大級のカーニバルとなっている。


「**ノッティングヒル地区の移民：1948年から1970年頃まで**」というテーマの試験は新しく2022年から始まった。ここでは、2021年に発表されたサンプル問題と模範解答を紹介する。所要時間は約15分だ。

問題1　ノッティングヒル地区への移民が住むことができた住居の特徴を二つ書きなさい。

〈解答例〉

移民には台所やトイレなどを共有する共同住宅以外の選択肢はほとんどなかった。家主が大きい家を買い上げ、それを小さい部屋に分割して貸していた。

ノッティングヒルで移民たちが住めた住居のほとんどは人が密集しておりスラム状態になっていた。家主は高い賃貸料を強要したが、賃借人を守る法律はなかった。

問1は、話題の対象になっているものごとの特徴を表現する問題だ。特徴をいくつか見つけ出し、その中でどの特徴の重要度が高いかを考える。

問題2（a）1959年のカリビアンカーニバルを調べるのに、次の情報源Aと情報源Bはどう役に立つか。情報源Aと情報源B、ならびに歴史的文脈に関して自分で得た知識を用いながら、あなたの考えを説明しなさい。

情報源A　1959年1月に開かれたカリビアンカーニバルの参加者たちの写真

情報源B　2008年にドナルド・ハインズが書いた記事。ハインズはジャマイカで生まれ、1955年にロンドンへ来た。1958年当時、彼はジャーナリストとしてクラウディア・ジョーンズ率いる西インド諸島新聞で働いていた。以下はカリビアンカーニバルの開催を企画したことの回想録である。

1958年、ノッティングヒルは人種的な憎悪にさらされていた。新聞各紙はその地区で白人のごろつきと黒人の犯罪者の間の避けがたい衝突が起こっていると書き立てた。我々は人種差別が社会全体を覆っていることに気づいていた。

その年の12月、クラウディア・ジョーンズはノッティングヒルの暴動が話題にのぼらなくなるために何ができるだろうと我々に相談してきた。そこで、おそらくトリニダード出身の誰かがカリビアンカーニバルができるのではないかと提案した。でも冬に？みんな笑った。クラウディアはみんなを静めた。「やってみようじゃないの」。彼女は問いかけた。「どこかのホールで開けないかしら」。

そう、できるんだ。そしてカーニバルが１９５９年1月、セントパンクラス（注：ロンドン中心街の一角）の公会堂で開かれた。

〈解答例〉

情報源Aの写真は、見たそのままを素直に受け取れば、カリブ海諸国出身の参加者はカーニバルに合うようドレスアップしたり故郷の服らしきものを着たりしてダンスを楽しんでいることがわかる。カーニバルの衣装がない参加者はスーツを着てネクタイを締め革靴を履くなど、この行事に敬意を表していることが示されている。よって、みんながこの行事を盛り上げようとしていることがうかがえて有益である。

しかしこの写真は、カーニバルが平和で楽しい機会であり、移民たちが平和を愛する陽気な人々であるという好意的な印象を公共に広めるために、意図的にカーニバル参加者にポーズを取らせて撮影した写真かもしれない。

このカーニバルはイギリスの公共放送局ＢＢＣでテレビ放送されている。ＢＢＣは前年に起こったノッティングヒル暴動の記憶がまだ新しい時期に、カリブ海諸国文化の明るい側面を宣伝する良い機会としてこの行事を公共の電波に乗せた。ＢＢＣは、人種間の緊張を国家レベルの問題として取り上げ、カリブ海諸国民のコミュニティーが前向きなイメージを創ろうとしていたことを周知させた。ＢＢＣや新聞社などが保存している写真を調べても、資料Ａと同じように陽気に踊っている人たちが大勢写っている。よって情報源Ａはその場の明るい雰囲気をおおむね表し、その雰囲気を公共に伝えるのに役に立つと言える。

情報源Ｂは、ノッティングヒルのカリブ海諸国出身者に反感を持つ人が当時多くいたこと、カリブ海諸国移民たちが地元の人たちとの関係を改善させようと画策していたことを示す点で有益である。

情報源Ｂは、クラウディア・ジョーンズがカーニバルを推進した原動力であり、当時起こった事件にすぐに対応したいと考えていたことも示す。彼女は、カリブ海諸島からの移民の間に一体感を醸造するため１８５８年に西インド諸島新聞を創刊したトリニダード生まれの女性だ。この会議が行われたわずか一か月後にカーニバルが行われていることから、クラウディア・ジョーンズは行動力のある女性で、ノッティンヒル地区の移民コミュニティーをまとめるリーダーとして大きな影響力を持っていたことは明らかだ。

回想録を書いたハインズはカーニバルが提案された会議に出席していた。よって、その場の雰囲気やカーニバル開催が決定された経緯をほぼ正確に覚えているだろう。その一方、回想録は会議の50年後に書かれたものなので、記憶があいまいな可能性も考慮しなくては

ならない。また、ノッティングヒル・カーニバルは後にカリブ海諸国文化を祝う大きな年中行事になり、ロンドンの多様性を代表する人気のある行事になったという事実に影響を受けているかもしれないので、実際より会議を好意的に書いていることも考えられる。

それらの点を考慮しても、情報源Bはカリブ海諸国の人々が人種間の反目を緩和するために協力してカーニバルを開催したいきさつを知るのに、役に立つと言える。

問題2（a）は、複数の情報源を「**分析**」し、何がどのくらい読み取れるか、その結果カーニバルについて調べるのにどう役に立つか、という「**判断**」を下す。その際、自分で探した資料から得られる事実も加えなくてはならない。たとえば情報源Aに関して、解答者はいろいろな写真を探して検証したり、クラウディア・ジョーンズの経歴を調べたりして、自分の考えを補強している。

問題2（b）1959年のカリビアンカーニバルについてもっと理解するために、情報源Bをどのように調査するか。自分で質問を立て、それに答えなさい。また、調査に使った情報源のタイプを記しなさい。

〈解答例〉

・情報源Bについて調査したこと

カリビアンカーニバルの内容

・自分で立てた質問

カーニバルではどんな出し物があったか

・使った情報源

1959年にBBCでテレビ放映された映像

・その情報源は自分で立てた質問にどう役立つか

カーニバルはジャマイカ、トリニダード・トバゴやバルバドスなどカリブ海の島々の多様な文化を象徴する多種のイベントで構成されていた。たとえばスティール・バンド(打楽器隊)やカリプソの歌手たち、重量挙げのコンテスト、カーニバルの女王コンテストなどがあった。会場にはヤシの木が描かれた背景幕が貼られた。

問題2(b)では、解答者に自分で問題を作らせ、自分でそれに答えさせる。解答の自由度が高い問題で、解答者の創造力を問う難しくもおもしろい問題である。

比較：東京大学の入学試験の例

三種類のイギリスの歴史の試験をみなさんに体感していただいたので、ここで改めて日本の試験と比べてみよう。

日本にはイギリスの中学修了試験にあたる試験がないため正確な比較はできない。しかし、読者の方々も体験された通り中学校での中間テスト、期末テストはもちろんのこと、高校の一般入試でもイギリスの中学修了試験のような問題が出ることはない。

大学入学共通テストは現在全部マークシートであり、多くの大学の入試問題も選択肢問題がほとんどで、論述式は少ない。

「いや、トップの大学群では論述式の問題も出る」と異議を唱える方もいらっしゃるだろう。そこで２０２３年に出題された東京大学の「世界史」の問題をここで見ていただきたい。所要時間は２時間30分である。

世　界　史

第 1 問

近代世界は主に，君主政体や共和政体をとる独立国と，その植民地からなっていた。この状態は固定的なものではなく，植民地が独立して国家をつくったり，一つの国の分裂や解体によって新しい独立国が生まれたりすることがあった。当初からの独立国であっても，革命によって政体が変わることがあり，また憲法を定めるか，議会にどこまで権力を与えるか，国民の政治参加をどの範囲まで認めるか，などといった課題についても，さまざまな対応がとられた。総じて，それぞれの国や地域が，多様な選択肢の間でよりよい方途を模索しながら近代の歴史が進んできたといえる。

以上のことを踏まえて，1770 年前後から 1920 年前後までの約 150 年間の時期に，ヨーロッパ，南北アメリカ，東アジアにおいて，諸国で政治のしくみがどのように変わったか，およびどのような政体の独立国が誕生したかを，後の地図Ⅰ・Ⅱも参考にして記述せよ。解答は，解答欄(イ)に 20 行以内で記述し，以下の 8 つの語句を必ず一度は用いて，それらの語句全てに下線を付すこと。

アメリカ独立革命	ヴェルサイユ体制	光緒新政	シモン＝ボリバル
選挙法改正*	大日本帝国憲法	帝国議会**	二月革命***

*イギリスにおける 4 度にわたる選挙法改正
**ドイツ帝国の議会
***フランス二月革命

— 16 —　　◇M5(527—89)

地図Ⅰ（1815 年頃）

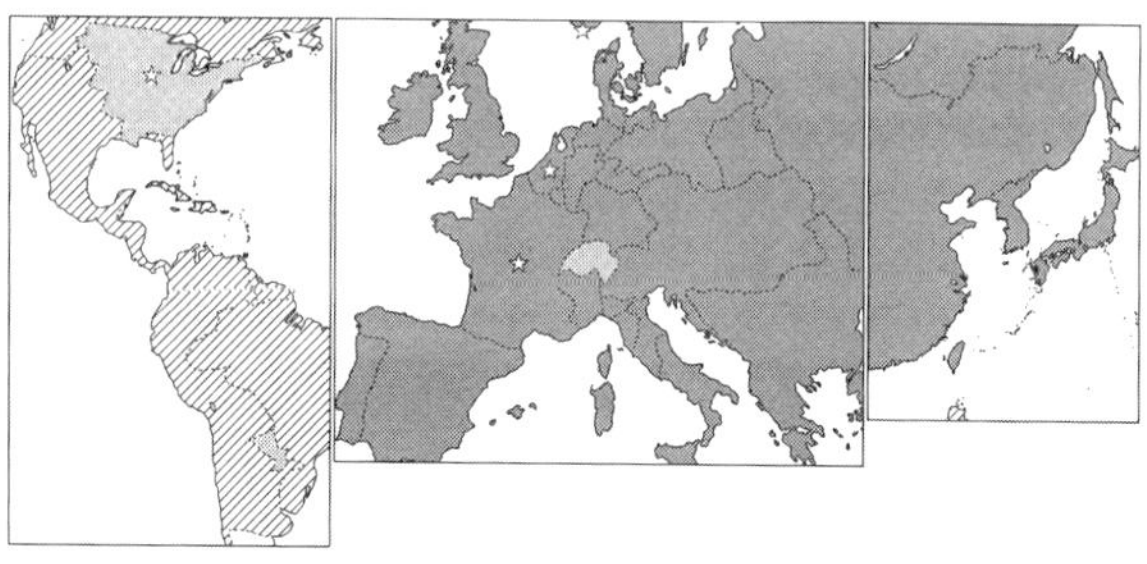

地図Ⅱ（1914 年頃）

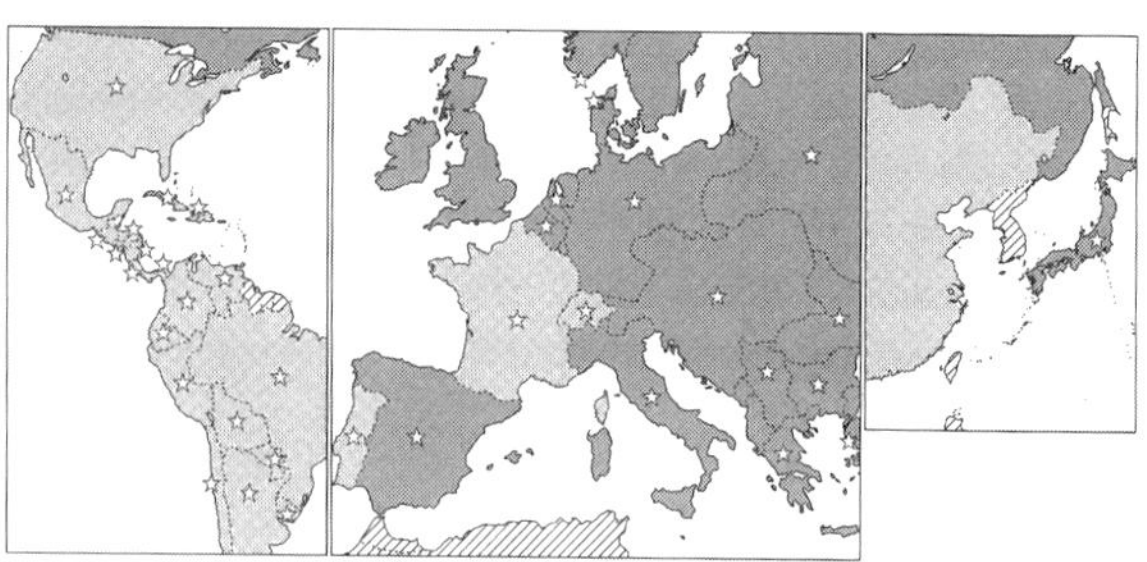

＊ ▩は君主政，□は共和政の独立国，▨は植民地。☆は成文憲法を制定した主な国。
（縮尺は図ごとに異なる）

第 2 問

水は人類にとって不可欠の資源であり，水を大量に供給する河川は，都市や文明の発展に大きく寄与した。また河川は，交通の手段となって文化や経済の交流を促したり，境界となったりすることもあった。このことに関連する以下の 3 つの設問に答えよ。解答は，解答欄（ロ）を用い，設問ごとに行を改め，冒頭に(1)~(3)の番号を付して記せ。

問(1) 長江は，東アジアで最も長い河川であり，新石器時代から文明を育み，この流域の発展は中国の経済的な発展を大きく促してきた。このことに関する以下の(a)・(b)の問いに，冒頭に(a)・(b)を付して答えよ。

(a) 中国では 3 世紀前半に，3 人の皇帝が並び立つ時代を迎えた。このうち，この川の下流域に都を置いた国の名前とその都の名前，および 3 世紀後半にその国を滅ぼした国の名前を記せ。

(b) この川の流域の発展は，「湖広熟すれば天下足る」ということわざを生み出した。このことばの背景にある経済の発展と変化について，3 行以内で記せ。

— 20 — ◇M5(527—93)

問(2) 西アジアは一部を除いて，雨が少なく乾燥しており，大河が流れる地域がしばしば農業の中心地となった。そこには，ときに王朝の都が置かれ，政治や文化の中心地にもなった。これに関する以下の(a)・(b)・(c)の問いに，冒頭に(a)・(b)・(c)を付して答えよ。

(a) 次の**資料**は，ある王朝における都の建設の経緯を説明したものである。その王朝の名前と都の名前を記せ。

資　料

言うには，「ここは軍営地にふさわしい場所である。このティグリス川は我々と中国との隔てをなくし，これによってインド洋からの物品すべてが我々のもとに，またジャジーラやアルメニアまたその周辺からは食糧が至る。このユーフラテス川からは，それによってシリアやラッカまたその周辺からのあらゆるものが到着する」。こうしてマンスールはこの地に降り立ち，サラート運河周辺に軍営地を設営し，都のプランを定め，区画ごとに武将を配置した。

タバリー『預言者たちと諸王の歴史』

（歴史学研究会編『世界史史料 2』より，一部表記変更）

(b) **資料**中の下線部に関連して，のちの 9 世紀に活躍するようになったマムルークの特徴と，彼らがこの王朝で果たした役割とについて，2 行以内で記せ。

(c) **資料**に記されている都が建設されたのは，西アジアの政治的中心地として栄えたクテシフォンの近くにおいてであった。クテシフォンを建設した国の名前に言及しつつ，その国で起こった文化的変容について，言語面を中心に，2 行以内で記せ。

問(3)　ナイル川はその流域に暮らす人々の生活を支えるとともに，人々の行きかう場ともなった。このことに関する以下の(a)・(b)の問いに，冒頭に(a)・(b)を付して答えよ。

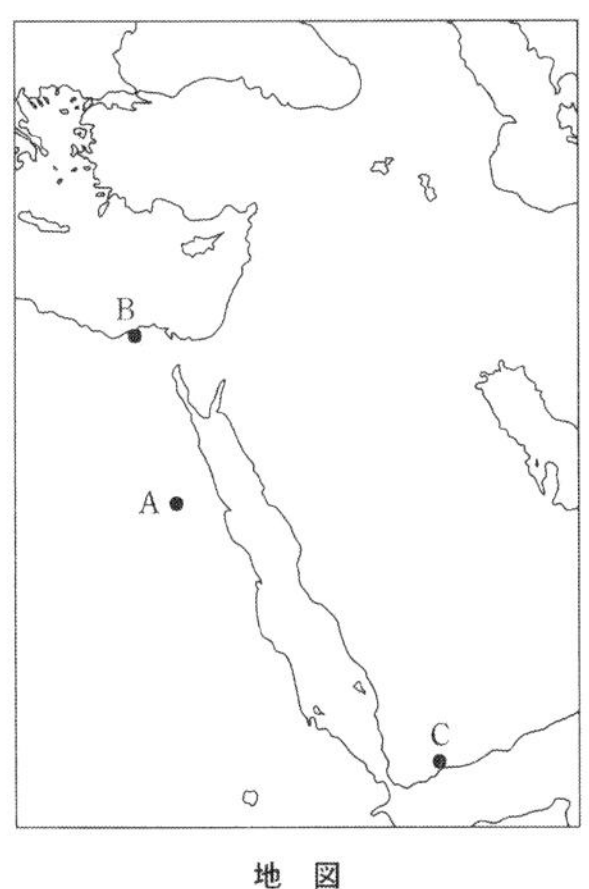

地　図

(a)　**地図**中のAで，ナセル政権下に作られた公共建造物は，この川の自然特性を利用した農業のあり方を決定的に変えることとなった。近代以前において，この川の自然特性を利用する形で展開した農業について，2行以内で説明せよ。

(b)　**地図**中の都市Bはこの川の河口近くにあり，12世紀から15世紀頃，国際的な東西交易の一翼を担う商人たちが，この都市と都市Cとの間で活発な交易を行った。この交易で扱われた物産と取引相手について，2行以内で説明せよ。

— 22 —　　◇M5(527—95)

第 3 問

健康への希求および病気は，まさに現在進行形でわれわれが経験しつつあるように，政治・経済・文化などさまざまな方面において，人類の歴史に影響を与えてきた。そして人類はそれらに対応するために，医学を発達させてきた。このことに関連する以下の設問(1)～(10)に答えよ。解答は，解答欄（ハ）を用い，設問ごとに行を改め，冒頭に(1)～(10)の番号を付して記せ。

問(1) 歴史上，影響力の大きい政治家が疫病に倒れることもあった。紀元前5世紀，アテネのペリクレスは全ギリシアを二分する戦争の最中に病死し，その後アテネの民主政は混乱していくことになる。この戦争の名称を記せ。

問(2) 14世紀半ばのヨーロッパは，ペストの流行に見舞われた。このペスト流行を経験した作者が，これを背景として人間の愛や欲望などをイタリア語で赤裸々につづった物語の名称を記せ。

問(3) 明代の中国では，科学技術への関心の高まりとともに医学・薬学が発達した。16世紀末に李時珍が編纂し，江戸時代初期に日本に伝来した，薬物に関する書物の名称を記せ。

問(4) 18世紀にジェンナーによって考案された種痘は，牛痘苗を用いて天然痘を予防するものであり，19世紀には，ジャワ島のオランダ東インド会社の根拠地から日本の長崎にもたらされた。この根拠地であった都市の当時の名称を記せ。

問(5) 19世紀には世界各地でコレラの流行が繰り返されたが，同世紀後半には細菌学が発達し，様々な病原菌が発見された。結核菌やコレラ菌を発見したドイツの医師のもとには，日本の北里柴三郎が留学して破傷風菌の純粋培養に成功し，破傷風の血清療法を確立した。このドイツの医師の名前を記せ。

問(6)　1980年代以降，温室効果ガスによる地球温暖化の危険性が強く認識されるようになった。温暖化の影響には，低緯度地域の感染症がより寒冷な地域へ広がることも含まれる。1990年代後半，日本で開催された国際会議で，温室効果ガス削減の数値目標が設定された。この取り決めの名称を記せ。

問(7)　今日の嗜好品は，過去においてしばしば薬品としての意味をもった。ある嗜好飲料は唐代に民衆に普及し，後に欧米にも広がり，これに関する貿易問題がアヘン戦争の原因にもなった。この飲料の名称を記せ。

問(8)　仏教では病が生・老・病・死という四苦の一つとされる。その経典の編纂やスリランカへの布教を行った王が統治し，インド亜大陸を最初にほぼ統一した王朝の名称を記せ。

問(9)　イスラーム医学は古代ギリシアの医学をもとに発展した。アリストテレスの著作にもとづいて哲学を追究するのみならず，医学者として『医学典範』を著し，ラテン語名アヴィケンナとして中世以降のヨーロッパの医学に影響を与えた人物の名前を記せ。

問(10)　漢代の医学書には，天体の運行と人間生活との関係を議論する思想がしばしば見られる。その思想を唱えた集団の名称を記せ。

— 25 —　◇M5(527—98)

第1問では、20行以内の記述が求められる。これはそれなりの長さである。また、第2問以下では、2行以内または3行以内の記述を求める問題がいくつかある。

しかし、これらの記述問題文をよくみると、第1問は「1770年前後から1920年前後までの約150年間の時期に、ヨーロッパ、南北アメリカ、東アジアにおいて、諸国で政治のしくみがどのように変わったか、およびどのような政体の独立国が誕生したかを記述せよ」で、指定された8語を使いながら書き進めることになっている。

これは教科書に載っていた説明をそのまま書けばよく、いわばページまるごと暗記とも言える。歴史的な背景や経緯を理解していなければ書けないものの、自分で調べたことを書き加えたり、自分なりの歴史解釈や判断を加えたりできる余地はない。つまり語句や人名の暗記の延長線上にほかならない。

右記は日本で最も偏差値の高い大学の試験で、本書で紹介してきたのはイギリスで11年間の義務教育を終えた中学生が受ける試験である。第一章の16ページで「中学修了試験は、「勉強が好きじゃない」とか「学校の授業が苦痛」と考える子どもにとってハードルの高い試験だ。だから、勉強に向いていない子どもが「普通高校に進学するのはやめて他の道をさがそう」とはっきり見切りをつけ、自分の適性について考えるきっかけをつくる」と書いた。ここまで読み進めてくださったみなさんなら、その言葉の意味を実感されたことと思う。

大学へ進学したい生徒は高校を卒業する時に、高校修了試験（General Certificate of

Education Advanced Level）を受ける。中学卒業試験より受験する科目数は減るが、学習内容はより深化する。各大学で個別の入学試験は基本的にないので、この試験の成績が大学の合否に大きく左右する。つまり高校修了試験は大学入学共通試験のような位置づけになるが、その難易度は推して知るべしだろう。さらに、彼の地の難関大学のレベルも想像できるだろう。

では、すでに見ていただいたイギリスの歴史の勉強を正しいやり方で進めた場合、どのように「考える力」をつけることが期待できるか、を次章で見ていこう。

第四章

「歴史」の勉強で育つ「思考力を支える四つのスキル」

歴史は、私が得意とし、本当に考えさせられた唯一の科目だった。
History was the only subject I was good at and the only one that really made me think.

David Olusoga, OBE

大英帝国勲章を受けたイギリス人の歴史家デイビッド・オルソガ氏は自分の学校生活をこう振り返る。この文を読んで、私は考えさせられる。**日本で歴史を学習していたとき、自分は考えたことがあったのか**、と。

イギリス人がする歴史の勉強は、歴史を知るということだけでなく、仕事を遂行したり実生活を営んだりしていくうえで役に立つ要素が多く含まれている。彼らの歴史の勉強は年代や人名の暗記ではない。いろいろな考え方と精神力を鍛えながら、全体的な能力を伸ばしていくことを意図されている。それは毎日少しずつ体のいろいろな部位を鍛え、長い時間をかけて筋力や体力をつけていくのに似ている。すぐれたアスリートは精神力が強く、種類の違うスポーツでも活躍できることが多い。これと同じように、歴史の勉強のしかた次第で、頭を働かせるためのいろいろな種類の力がつき、実生活で役立てることができる。ただし、運動しても体力がすぐつくことはないように、考える力もすぐには得られない。

第四章では、第三章で紹介した「考えるための手がかり」をふまえ、歴史を適切に勉強すれば直接または間接的に身に付くスキルを紹介しよう。スキルは①リサーチスキル、②

コミュニケーションスキル、③自己管理スキル、④問題解決スキルに大別できる。

①リサーチスキル

イギリスの歴史の試験には、「歴史上の事件や事象について説明しなさい」という設問がある。日本でこの問題が出た場合は教科書に書いてある説明をそのまま書けばよい。しかしイギリスの試験問題では「自分で探した情報を含めて説明しなさい」という指示がある。だから、情報の収集と取り扱い方がとても重要になる。

自分で情報を集める

自分で得た情報を生徒に試験で書かせるのは日本の試験との大きな違いだ。イギリスの歴史の試験では大半がこのタイプの問題と言える。

生徒は教科書に書かれているような誰でも知っている情報だけでなく、新たな情報源から情報を抽出し、求められる説明に役立つ情報だけをつなぎ合わせて、説明に加えなくてはならない。そのためにまず図書館や資料館に足を運んだりコンピューターを使ったりしながら文献や写真、絵、地図、映像、統計など、情報源になるものを入手する。複数の情報源を使うことによって、思考停止や浅い思考を避けられる。

教科書について少し触れると、日本の歴史教科書問題は古く、特に第二次世界大戦に関する記述の内容で議論が続いている。しかしイギリスには教科書の検定制度がないので日本のような教科書問題は起こりえない。教科書はイギリスの学習指導要領の目安に沿って書かれていればよく、多種が市販されている。私の勤務校では教科主任を中心に教員たちが話し合って使用する教科書を決めていたが、教科書とは別に独自のプリントを配布する教員も多かったようだ。

そもそもイギリスでは教科書が絶対的に正確な情報や確立された見解を与えるものとは考えられていない。教科書の内容よりも教え方や勉強のしかたの方が重要だ。「自分で探した情報」を使うため、生徒は教科書を超えた勉強をしておかなくてはならない。逆に言えば、試験で教科書の内容を忠実に再現した解答は期待されていない。答えは自分で探すのだ。だから、教科書は「考えるためのたたき台を提供する本」という位置づけに近い。

歴史の情報を集めると言っても、16歳の生徒では集められる情報は限られているし、外国語の資料は原語で読めないなど、本職の歴史家の資料調査には遠く及ばない。しかし、史実の調べ方や情報の集め方は身に付いていくだろう。将来、職場でいろいろな情報を集めなくてはならないときや、情報をもとに作戦を立てるときなどに役立つ、使い道の多いスキルだ。

情報を、自分の考えの根拠として使う

情報を集めても、羅列するだけでは情報の価値が生かされない。それをどう使えばよいか教えてくれるのが「毛沢東の中国」の問3（b）だ。ここでは、異なる解釈が述べられた二種類の本を使う。どちらも毛沢東の成功について述べた本だが、視点が違う。

解答者は、両者の主張の違いを述べるが、その際、それぞれの本の解釈から自分の考えの根拠となる箇所を引用する。言い換えれば、自分はどうしてそう思ったか、という証拠を資料から提示する。このやり方が身に付けば、根拠のない自己主張をしなくなるだろう。

さらに、資料から引き出せる情報が誰かの考えの根拠になることがわかれば、自分自身が何かをするとき記録を残すことがいかに重要かにも気づけるだろう。その記録は自分または誰かの情報源になりうるのだ。逆に言うと、記録を残さなければのちに情報が得られず、不利益をこうむりかねないことも理解できる。記録が他人に改ざんされたり抹消されたりする可能性は免れない。しかし、自分が見聞したものごとや行動したことなどを日付とともに正確に文字や写真、映像などで記録を残す習慣をつければ、将来それが自分のた

め、または他人のためにも生かされるだろう。

情報の出どころや有用性を検証する

歴史の試験で特徴的なのが、「これらの情報源（資料）は与えられた課題を調べる時、どう役に立つか（how useful）」という問題だ。本書に掲載した例では「毛沢東の中国」の問3（a）や「ノッティングヒル地区の移民」の問2（a）がそれにあたる。

日本で「資料を見て答えなさい」という問題が出た場合、そこから読み取れる数字や特徴や傾向を答えさせるが、資料そのものの性質について問われることはほとんどない。ましてやそれを疑うように仕向ける意図を込めた問題は通常見当たらない。

しかしイギリスの試験問題では、情報の出どころとなる情報源（資料）の性質、つまり誰がいつどんな人を対象にして作成した情報源かに注目する。次に、情報源から情報を引き出し、それが信頼できるかどうかを問う。さらに、信頼できるとしたらどの程度までかという有効性の範囲や限界を問う。これらを踏まえた上で、課題を調べるためにどの点がどのようにどれくらい役に立つか、役に立たない点はどうして役に立たないか、という判断をする。

この問題は、情報は必ずしも事実を反映しているわけではないことを生徒に気づかせてくれる。もっとも、日本では近年政府や私企業を問わずデータの改ざんが横行してその一部は明るみに出ているので、人々は以前ほど情報を鵜呑みにしなくなってきているかもしれない。いずれにしろ、情報を聞いたり見たりしたときにそれを全面的に信じず、その真偽性を考える癖がつけば、世の中で出回るフェイク・ニュースや捏造記事、合成写真などを慎重に吟味できるようになるのではないだろうか。

同じ情報から違う解釈が生じることを知る

少し古い話だが、2001年9月11日にアメリカ同時多発テロが起こったとき、私はタイに住んでおり、世界的に有名ないくつかのテレビ局が流すニュースを見ていた。アメリカからのニュースは被害状況とテロへの憎悪を伝えていて、日本のニュースもアメリカとほぼ同じだった。しかし中国から発信されたニュースはだいぶトーンが違った。1999年に在ユーゴスラビアの中国大使館がアメリカ軍に誤爆（ということになっている）を受け数十人の死傷者を出していたからか、少なくとも英語の字幕を読んでいる限りアメリカに同情的ではなかった。一方、フランスのニュースは起こったことを伝えようとしている、という印象を受けた。

もちろん日本のテレビ局や新聞社も事件の伝え方や取り扱い方に差がある。それでも、同じ事件なのに視点が違うとその解釈と伝え方に大きな差が生じてくるということを非常な驚きとともに学んだ。しかし、イギリスで歴史の授業を子どもの頃に受けていれば驚かなかっただろう。なぜなら授業では同じ史実でも伝える人によって大なり小なり意図的な違いが生じることを教えているからだ。

「毛沢東の中国」の問3（c）は私が一番感銘を受けた問題だ。これこそ歴史を勉強する意義を示してくれる良問だと思う。質問をわかりやすく書き直すと、こうなる。「この二冊の本は歴史を勉強する時に使える情報源（資料）だ。どちらも1949年の共産党の勝利という同じ史実を扱っている。それにもかかわらず、なぜ見解が異なるか」。問3（b）の模範解答に書いてある通り、一冊目の本はその成功に国民党の自滅が大きく関与しているという見方をし、二冊目の本はその成功が共産党による巧みな統治の結果であるという見方をしている。そこで、それぞれの本の筆者は、どんな情報源から出た情報を使って、あるいはどんな情報源を使わないで本を書いたか、という視点を追求する。

人はそれぞれの体験や立場や信念に基づいて情報を解釈する。だから同じことがらについての解釈でも、矛盾や違いが生じる。解釈した人は何を重要と考えているか、読者にどう思わせたいか、その人の意図は何か。問3（c）は、それらを探る必要性に気づかせてくれる。

「ノッティングヒル地区の移民」の問2（a）では、50年前に開催された会議についての回想が情報源として提示されるが、当事者による会議への評価が世の中の趨勢に合わせて変化し得ることを示唆してくれる。
これらの問いでは、自分が発信する解釈にも自分では気が付かないうちに自分の視点や意図が入っていることや、自分が無意識に情報の取捨選択をしていることをも認識させる。

自分が事件の当事者になっている場合は、いっそう情報集めに注力する

イギリスにいた頃、ケンブリッジシャーに長く住んでいる日本人から２０１５年にこんな話を聞いた。「太平洋戦争中、この周辺の人々で構成された部隊には東南アジアで日本軍の捕虜となり苦しめられた記憶がある。８月15日には終戦を祝うので、この日周辺の日本人は気をつかう」。ちなみにイギリスでは8月15日を対日戦勝記念日（Victory over Japan Day）と呼んでいる。

ハロウ校には、イギリス人の父親と日本人の母親を持つ生徒がいた。その生徒は、自分の両親についてこんなことを教えてくれた。「僕の（父方の）おじいちゃんは、日本人は世界で一番野蛮な国民だと言っていたらしい」。彼の祖父は第二次世界大戦中、軍人として東南アジアにいた。「だから、お父さんがお母さんと結婚するのを許さなかった。おじいちゃんが死んだので、両親は結婚できた」。

太平洋戦争の戦場となったアジアやオセアニアの人々から過去の日本人の行いに対する

コメントを聞くことはそれまであった。しかしイギリス人からも同じような話を聞いて驚いた。

一方、日本への賞賛も海外で聞いてきた。たとえばスリランカ人からは「日本人が政府開発援助（ＯＤＡ）の一環で、道路や橋をたくさん作ってくれたから、とても感謝している」と何度も言われた。また、ＵＡＥ人からは「ＵＡＥの建国前から日本のいくつもの民間企業が社会の発展に貢献してくれた」とお礼を言われ、中東諸国の人々からは「第二次世界大戦後に焼け野原から経済大国へと復興した日本を尊敬している」と数えきれないほど言われた。これらの外国人の視点はすべて私が知らなかった視点だった。私の勉強不足は否めないが、少なくとも日本の学校や予備校で世界史を熱心に習っていたにもかかわらず、世界各国の人と触れるようになって情報の非対称性を感じる例は数多く体験した。そして自分が習ってきた歴史は、書き手の視点が限られていたことを痛感した。

もちろん外国人や外国にいた日本人から聞いた話は、誇大な表現や先方の誤解もありえるので、それを無批判に受け入れるべきではなく、冷静に真偽を確かめなくてはならない。その際は被害者、加害者、受益者など直接事件や事象に関わった人からの情報だけでなく、第三者からの情報も役に立つだろう。

自分とは関係のない歴史を調べるとき、たとえば19世紀のアメリカでの入植者と先住民との間に起こった争いに関しては、自分には利害関係がないのでいろいろな視点で見ることができるかもしれない。しかし、自国が事件や事象にかかわるとき、自国の立場を悪くするような資料を冷静に探し、それをありのままに使うことには抵抗を覚えるのではないだろうか。

私たちは日本がかかわる事件や事象の情報や解釈を集める際、正確を期すために日本に好意的なものだけでなく日本に否定的なものを含めさまざまなものを併せて集めなくては、自国を理解することも、他国から理解されることも難しいと思う。そして、自国が他国にどのように見られているかいつまでも気づけないだろう。

これは国単位の大きな問題だけでなく、身近な問題にも当てはまる。自分の状況を理解するため、自分に都合の良い情報だけでなく都合の悪い情報も集める。そうすれば、次の段階、つまりどうすれば改善できるか、向上につながるか、の道筋が見えてくるはずだ。

②コミュニケーションスキル

経団連が２０１８年に発表した資料によると、企業が新卒者を採用する際に最も重視した点が16年間連続でコミュニケーション能力だった。コミュニケーション能力に必須の要素は自分が伝えたいことをしっかり話し書くことができる力、つまり表現する発信力と、相手の言うこと、書いていることをしっかり聞き、読み、理解する受信力だ。

書いて頭を整理する

イギリスから帰国した高校生男子に、こう聞いたことがある。「日本の学校の勉強は暗記が主体だから、試験でたくさん書かせるイギリスの学校に比べて楽じゃない？」日本の小学6年生のときに父親の仕事の都合でイギリスへ行き、現地の学校へ通って16歳で日本に戻った彼の答えは、私の予想に反していた。「日本では暗記することが多くて大変。イギリスの方が楽だった」。イギリスの試験の記述量の多さに仰天していた私には、一度暗記をしてしまえば必ず正解を得られる日本のテストの方がよほど楽に思えた。しかし考えて書くということに慣れた人にとっては、日本のようなテストが苦痛になるらしい。

イギリスではどの科目の試験でも長い文章を書かせる。解答用紙には罫線以外何も書いていない。だから答えはゼロから積み上げる。イギリスでは日本のように細かく事項を覚えなくてもよいかわりに、文章を書かなくてはならないが、生徒はそれに慣れている。なぜなら、学校に上がると同時にいろいろな機会で文章を書き始めるからだ。国語や歴史の授業では12歳ぐらいから書く量が増える。

「書く」ことの効用は多くある。たとえば自分の考えを文字化することで考えが明確になっていき、書いたものを見直すというプロセスの中で頭の中が整理されてくる。こんな経験はみなさんもお持ちだと思う。「書く」ことのメリットは心理学や脳科学など専門的な見地からも多くの研究が発表されているので、その重要性は改めてここで繰り返す必要はないだろう。

SMSやインターネット上で自分の考えや行動を気ままに綴る文章と違い、試験で求められるのは、きちんとした言葉を用いた文章だ。試験では、語句のスペルや句読点の使い方、文法が適切に使われているかどうかも採点対象になる。よって、正しい国語を使えることが重要で、国語の能力が試験の成功を左右する。「毛沢東の中国」の問3（d）や「イギリスの医学の歴史」の問4の生徒による解答を見れば納得できるだろう。

良い文章は一朝一夕に書けるようになるものではない。人が読むことを意識して、少しずつでも頻繁に文章を書くことが重要だ。私はイギリスの勤務校で上司に「中学修了試験を1年後に控えた生徒たちには、毎回ある程度まとまった文章を書かせること」と指示されていた。

文章力を向上させるには誰かに読んでもらい助言をもらうのが理想的だが、自分で読み返して推敲を重ねることもできる。志気の高い子どもはこのような習慣を長く続けているので、文章を書くことに抵抗を感じなくなるようだ。勤務先の学校ではそう思えることがよくあった。たとえば、行事があった際、私が生徒に「誰か今日の行事について報告書を書いておいてくれる?」と聞くと、いつも何人かの生徒が「自分が書きます」と申し出てくれた。

学校を卒業しても、履歴書や企画書、意見書など文書を書く機会は多い。そのときにきちんとした文章を繰り返し書いた経験が役に立つのは言うまでもない。

枠にとらわれず、主体的になる

イギリスで勤務しているとき、日本語を学ぶ生徒たちに日本人用の国語の試験問題を出したことがあった。小説の読解で、主人公の気持ちを問う選択肢問題に取り組んでいたときに、思いがけない発言を聞いた。「選びたい答えがありません」と訴える生徒が続出したのだ。私は、生徒たちの日本語力がまだ足りないのかなと思ったが、そうではなかった。生徒たちは答えを自分で考える癖がついているので、選択肢のどれかに自分の考えを当てはめて選ぶということができなかったのだ。生徒たちがいかに主体的に、つまり自分の意志と判断で答えを作り出そうとしているかがわかるエピソードである。

日本でよく行われる選択肢問題の試験では答えは選ぶだけなので、生徒は受動的にならざるを得ない。選択肢問題には問題製作者の意図する正解、言い換えれば与えられた正解が必ずある。ここから問題には用意された正解がある、という了解が脳に刷り込まれ、教室を出た広い世界でも誰かが答えを用意してくれるという依存心、または正解だと思ったもの以外を排除する姿勢が生まれる可能性がある。答えはすぐに手に入る、という短絡的な思考にもつながるだろう。実生活の問題には、正解はいくつもあるかもしれないし、ないかもしれない。そういう考え方もできにくくなるだろう。

「歴史」、「勉強法」とキーワードを入力して、インターネットで検索すると、選択肢問題で正解を増やすテクニックを紹介したページが次々とヒットする。小手先のテクニックを掴めば正解にたどり着けるという考えが生まれるのもむなしい。

日本のテストにも記述式問題は多少ある。しかしその場合、教師におもねったような文、つまり「こう書けば良い点がとれるだろう」という内容の答案がある。しかし、イギリスでは問題で求められている要求を満たしているなら、どんな内容でもよい。たとえば、日本語の授業で健康に関する課題の小論文を出したとき、ある生徒は「たばこの効用」というようなテーマの論文を書いてきた。私が小論文で課した条件は、今まで習った文法をなるべく多く使うこと、バラエティに富んだ言葉を使うこと、読んでいる人が書き手の主張に納得できる論理的な文章であること、だった。個人的に好きか嫌いかと聞かれれば好きな内容ではなかったものの、私の条件はすべて満たしていたので、良い点をつけた。常識的に考えたら賛同者の少なそうな内容をあえて選んだ生徒をおもしろいと思ったし、枠にとらわれず自由な発想で書ける環境をうらやましいとも思った。

日本の大学入試では、受験者に代わって別の人が受験者に答えを教えるという不正がたびたび生じている。しかしイギリスのような試験では選択肢がないので、このタイプの不正は極めて起こりにくいだろう。論述の解答は、人に頼れない。論述に慣れていけば、自分の考えや意見も明確になっていくので、依頼心を起こしたり、人の意見に流されたりすることが少なくなっていきそうだ。そして何より自由に考えられるという楽しさを味わえるだろう。

質問に答える

質問に答える、ということも大事だ。当たり前すぎて「何を今さら…」と言われそうだが、この訓練は日本式の試験、いやクイズではできない。クイズは答えがすでにあるからだ。

実際に私は質問に的確に答えられないことを、英語テストのアイエルツ（IELTS™）を受験したとき痛感した。アイエルツは日本ではあまり知られていないが英語能力を測るイギリスのテストだ。

日本で有名な英語能力測定テストはアメリカのトーイック（TOEIC®）だ。これはリーディング（読む）とリスニング（聞く）のテストがセットになっていて、問題量は多いがすべて選択肢問題である。リーディングは読解と呼べるほど長くない。トーイックにはライティング（書く）とスピーキング（話す）がセットになったテストもある。これら二つでは実際に書いたり話したりしなくてはならず、与えられた課題をコンピューター上に書いたりコンピューターに一分間話しかけたりするので考える力が必要になる。日本人が受けるトーイックはたいていリーディングとリスニングのテスト、つまりマークシートのテストである。

アイエルツは、問題量はそれほど多くないものの読む・聞く・書く・話すの四種の試験を一度にすべて受験しなくてはならない。そして、選択肢問題は少ない。ライティングでは一時間かけて二本の長い作文を書き、スピーキングでは面接官の前で何分も話す必要がある。私は実際にアイエルツを受けている間、何分も書いたり話したりしているうちにだんだんと論点がそれてきてしまい、それに気づいたときは時間が足りなくなっているという苦い経験をした。質問を読んだつもりだったが実はきちんと読んでおらず、その意図を把握できていなかった。書き始める前や話し始める前に準備すべき話の骨格も十分に組み立てていなかった。

イギリスの中学修了試験とアイエルツを比べると、中学修了試験は解答をペンで書かなくてはならないので、なおさら解答を書き始める前に頭を整理し文章を順序だてて構成することが重要になる。多少は後から余白スペースに書き足すこともできるし、棒線を引いて文を消すこともできるが、大きくは書き直せないからだ。

自分の失敗を生かすべくイギリスで生徒に試験前必ず言ったことが「質問に答えなさい」だった。これは他の国で日本語を教えているときには言ったことがなかった。タイのように日本の大学入学共通テストそっくりの試験がある国では、日本語の試験も全部マークシート方式だった。日本人が作成している日本語学習者向けの日本語能力試験も、全部マークシート方式だ。だから「質問に答える」という重要性に気づけなかった。

日本の政治家や不祥事を起こした企業のトップが質問をはぐらかして質問に答えていないのは意図的だとしても、会議やインタビューで質問に答えていない人はよく目にする。これは、質問内容を吟味し、答えとして何が要求されているか、答えをどう組み立てるかを考えるという訓練が足りないことが原因の一つではないだろうか。質問に答える、というシンプルなことが、クイズに慣れた私たちには意外に簡単ではないのが、自問してみるとわかるだろう。

聞くことで、相手に質問をし、気づきを与える

講演会で、講演者が「質問はありますか？」とたずねると、さまざまな反応が見られる。鋭い質問をする人、他人の話は聞いておらず自分の意見を言いたいだけの人、講演者と目を合わせないようにしている人…。

日本人はこのような場面でほとんど手をあげない。でもイギリスの勤務校でひんぱんに開かれていた講演会では、生徒たちからにょきにょきと手があがり、講演者が時間内にす

べての質問者に答えるのはほとんど無理だった。講演者が有名人や地位の高い人であっても10代の若者は臆せず質問していた。日本人が手をあげないのは、聞くことはそれだけで完結する行動、つまり聞きっぱなしで終わりだと考えていて、聞いたあとに何かの行動につなげようと考えていないからではないかと思う。

イギリスの授業では、生徒が意見を発表する機会が多い。それは言い換えれば、他の生徒の意見を聞く機会が多いということである。誰かの発表を聞いたら、先生も生徒にフィードバックを与えるが、生徒同士がお互いにフィードバックを与えあうピアフィードバック（peer feedback）という方法も用いられている。

フィードバックを与えるには、他人の発表をぼんやり聞いているだけではだめで、集中していなければならない。だから、良いフィードバックをしたい、と考える生徒には自然と聞く力が育つようだ。

私の日本語の授業でも、日本人の行動や習慣について説明すると「先生はそれについてどう思いますか」という質問が飛んでくる。たとえば「日本では男女の地位がだいぶ違うようですが、どう思いますか」と聞かれ、私が自分の意見を述べると、「どうしてそう思いますか」と新たな質問が来る。そう聞かれたときになかなか答えられず、自分はものごとについて浅いレベルでしか考えていなかったのだなあと認識を新たにした。生徒たちは私を責めているわけでも論破しようと思っているわけでもなく、私がどう考えるかに興味を持っていた。

質問の中には的がはずれたものもないわけではないが、質問を受けて私自身が新たな視点に気づかされることが頻繁にあった。自分がみんなに話す、ということは一方的な行為ではなく、自分も気づきを促されるという双方向の行為であることがよくわかった。同様に、聞くことは受動的な行動のように思えるが、実はかなり能動的な行動で、聞いてからそれに対して質問したり意見を述べたりすることで聞き手の考えを全員でシェアし、議論を活性化できることを知った。議論が活気づけば、話し手も聞き手もみんなが楽しくなる。楽しくなれば、議論も深まっていく。

人の話をよく聞けばよい質問ができる、良い質問ができるとその場にいるすべての人の理解度が深まる、ということを学校で体感して質問上手になれれば、そのスキルは仕事でも普段の会話でも生涯生かせる。人の話をお行儀よくおとなしく聞くことが良い態度だと考える日本人は多いようだが、これでは一方通行の伝達のみばかりか、聞き手が本当に聞いているかどうかもわからない。話し手は聞き手からのリアクションがない場合、話し手から何かを得ることができない。しかし、聞き手が何らかの反応を示せば、話し手に気づきを与えられる。良い質問をすればなおさらだ。質問上手の人は重宝されるだろう。

私たちは子どものとき、話を聞いたあとには質問をするという習慣をつけていないので、良い質問ができるようになるにはおそらく時間がかかる。しかし、質問をすること、少なくとも感想を述べることを前提に人の話を聞くという訓練をすれば、自然と聞くことが上手になってくるのではないか。また、自分が講演者や司会者になった場合は、聞き手が質問しやすい環境を作る努力をすれば、有益な質問が得られ自分のメリットになるかもしれない。

ストーリーテリングを活用する

ストーリーテリングとは、伝えたい思いやことを、体験談やエピソードなどの「物語」を使って、聞き手に強く印象付ける手法のことだ。たとえば

・ロンドンは多国籍社会だ。
・町では英語以外の言語がよく聞こえてくる。

と事実を羅列されるより、

私が通勤に出かけるとき、マンションのエレベーターで会ったのはナイジェリア人の若いカップル。二人ともつやのある精悍な顔立ちで、黒い肌に金色のアクセサリーがお似合いです。階下に降りるとブラジル人の小柄なおばさんが玄関掃除をしていました。彼女は英語がほとんどできないのですが、ポルトガル語で「おはよう」と言ったら喜んでくれま

した。夜に帰宅すると、「荷物が届いています」というメモが玄関のドアにはさまっていたので管理人室にいくと、新入りのポーランド人の管理人が荷物を渡してくれました。自分の部屋に戻る途中、韓国語で賛美歌が聞こえてきました。その歌声の持ち主はとなりの棟に住んでいる韓国人のお母さんとお嬢さんでした。

と書いた方が、具体的な人物とロンドンの様子が想像でき、覚えやすい。これがストーリーテリングの手法だ。歴史の試験では解答を書く際、ただ考えや事実を書けばよいというわけではなく、流れるように読めるよう書かなくてはならない。本書で掲載した例を見ると、「毛沢東の中国」の問3（d）や「イギリスの医学の歴史」の問2の模範解答は、どこおるところがなく、スムーズに読める。

書くべき項目を決め、それを読みやすくつなぎ合わせる作業を制限時間の中ですることは、あれだけの長さの文章だと簡単ではない。私はハロウ校にて「英語の文章を上手に書けるようになるにはどうしたらよいか」と英語（イギリスでは国語）を教える同僚に聞いたことがあった。同僚の答えはシンプルで「良い文章をたくさん読むこと」だった。

そう言われて思い当たったのが、書くのが得意な生徒たちはよく本を読んでいるということだった。文章上手たちは授業に来るときでも手軽に持ち運びできるペーパーバックの本を小脇に抱えていた。その恰好がいかにも自然で、私にはちょっとかっこよく思えた。

学校は教員にも生徒にも読書を熱心に勧めていた。学校内の電子メールを送るとき、文の最後に名前や所属を書くが、その下に「私は今、〇〇を読んでいます」という文を付け加えるのを推奨していた。メールを読むついでに差出人が何を読んでいるのかわかるのはおもしろい。教員も生徒も友人や同僚が読んでいる本なら、読んでみたいという気持ちになりやすく、本についての会話もはずみやすいだろう。

書くのが得意な生徒の文章は展開がスムーズで、感情や様子を表す語彙も豊富に使われている。話の情景がわかり、映像が浮かんでくるようで、読んでいて気持ちが高揚した。読みやすく書かれた文章は、相手の記憶に残りやすく、共感も得やすい。相手を説得し、納得させるには欠かせないスキルだ。

言外の意味を汲み取る

コミュニケーションでは、書かれた文字や話された言葉を理解するだけでなく、文字や言葉に現れない感情や情報を読み取ることも大切だ。歴史の試験では、「毛沢東の中国」の問1や「ノッティングヒル地区の移民」の問2で、絵や写真から、そこに含まれた意図を推測する。「毛沢東の中国」の問3や「ノッティングヒル地区の移民」の問2では文書が提示され、それぞれ行間を読む訓練をする。あえて文字で書かなかったこと、意図的に伝えていないことを探す。これらの試験問題は、どんな対象でも表立って見えないメッセージがあることを教えている。

言外の意味を読み取るとき、会話の場合は相手の声のトーンやしぐさなども重要な要素になる。筆記試験の場合、残念ながらそれらの要素を読み取る訓練はできない。しかし、書かれたもの、撮影されたものから発信者や使用者の明らかなメッセージと隠れたメッセージを読み取る訓練はできる。そのくせをつければ、彼らの意図や状況が理解しやすくなる。一方、自分が発表する文書や視聴覚・映像資料に、相手に誤解されるような要素が隠れていないかを慎重に調べる必要性も認識できるだろう。

③自己管理スキル

「優れた人間の第一の義務は何だと思う?それは自分を制御する術だ。〔省略〕イギリス人にとって第一の主権は自分自身に対して確保すべき主権だ。後日世界の主（あるじ）たるがために、先ずもって自分自身の主たること、これが要するに、ゼントルマンの大量生産を目標とする私立学校（パブリック・スクール）における少年教育の理念のようだ」。

1955年にフランス人の目を通してイギリス名門校を描写した文章の一節だ。少々古い本からの引用なので近世の植民地主義を引きずってはいるが、学校教育が目指す境地を簡潔に言い当てている。自分の感情や行動をコントロールする力、つまり自制心は、授業や試験を通して磨かれていく。

タイムマネージメントに慣れる

イギリスの中学修了試験のための勉強では二種類のタイムマネージメントのしかたを学べる。それは試験の準備期間における長期のタイムマネージメントと、試験を受けている間の短期のタイムマネージメントだ。ここではそれぞれを考察していこう。

長期のタイムマネージメント

試験の準備期間は一～二年だ。歴史の試験問題テーマは公表されており、たくさんのオプションがある。生徒はそれらをまず概観して自分のやりたいテーマを選ぶ。それから参考書を読み文献リストを参照して、情報源となる資料を集める。それらを読み込み、必要な情報を抜き出しながら、テーマの詳しい内容を組み立てていく。その際、他人の意見や過去の模範解答を参考にしながら自分の考えを確立していく。そして論述に取り組む。教員のアドバイスを取り入れながら何度も書き直して、より良いものに近づけていく。準備期間中、いつの段階で何をすべきかについては教員が生徒をサポートするが、行動は生徒にまかせられる。

他の科目の試験勉強の進め方も歴史とほぼ同じだ。私が教えていた日本語の試験を例にとると、中学修了試験で課されるのは短い作文だけだが高校修了試験すなわち大学入学共通試験では長い論述問題があり、いくつかテーマが選べるようになっている。生徒は約一年前に自分が取り組むテーマを選んで、小論文の内容に肉付けできるような題材を探していく。たとえば「日本の中でひとつの地域を選び、そこの観光案内を書く」というようなテーマの場合、まず地域を選び、いくつか観光地をピックアップするが、その際すべての年齢や性別の人がそれぞれ楽しめる観光地を偏りなく選ぶ。観光施設への交通手段や開業時間、特産品、お土産なども調べる。それから情報の取捨選択をして書き始める。生徒が「こんなガイドブックがあったら便利だろう」というものを自分で考えて作るので、内容はさまざまだ。飲食店情報では、菜食主義者（ベジタリアン）や宗教上食べられない材料がある人にも考慮した飲食店を記載する生徒もいる。どの宗教の人でも使える礼拝スペースの有無、障碍（がい）者対策の有無、外国語に対応した観光案内所の有無などを書く生徒もいる。生徒作成の旅行ガイドには、ファッションに興味のある生徒、芸術に興味のある生徒などそれぞれの個性が出るので私は読んでいておもしろかった。生徒たちは情報収集や、情報をどう文中に取り込んでいくかを考えるのに時間を費やし大変だっただろうが、楽しんでいたようにも見受けられた。

歴史の試験に話を戻すと、長い準備期間の中で勉強するテーマを決めて時間配分をしながら段階的にそれぞれ別の課題に取り組み、目標に近づいていく方法は、日本のように古代から現代に向けて順に歴史の事項を同じように暗記していく方法とは大いに異なる。イギリス式の歴史の試験勉強では自分の選んだテーマに特化するので、自分が選んでいない範囲の知識には乏しい。そのかわり、一定の期間内にすべきいくつかの種類の違うタスクを見極め、それぞれのタスクをいつまでにすべきかというタイムマネージメントを学べる。

短期のタイムマネージメント

試験を受けているときのタイムマネージメントは、論述の試験では極めて重要だ。試験には制限時間がある。マークシートのような問題であれば、上から順に機械的に進めていけばいい。言わば与えられた作業をテンポよくこなしていくようなイメージだ。しかしイギリスの歴史のような試験の場合は問題の難易度や種類がかなり違う。だから限られた時間の中で、まずは全体を見てスピーディーに問題に優先順位をつけたり、各問題に費やす時間を配分したりする作業が必要になる。

試験中、時間配分ができていない生徒は少なくないようだ。中学修了試験の結果が発表される際、出題者は模範解答や採点のポイントを公表するが、その中には「この問題にていねいに答える必要はない」、「この問題に時間を割くべきではない」などのアドバイスが随所にみられる。

論述試験の場合、準備をじゅうぶんにしていた生徒ならば書きたいことはいろいろあるだろう。しかし全部を書く時間はない。書くべきことと不要なことを分ける作業や、時間内に読み直して冗長な部分を削ったり、必要な部分を補ったりするという検討も必要だ。147ページに記したように、私はアイエルツという英語試験の論述試験を受けたとき、質問に正確に答えていない文章を書くという失敗を犯した。それは「時間がないから早く答えを書き始めたい」という誘惑に勝てず、質問を吟味し論述の構成をきちんと考える時間を取らなかったことが原因だった。

限られた条件の中で優先事項を決めて段取りをすることは効果的なマネジメントをする上で必須である。また、本質を捉え無駄を取り除くことも重要だ。イギリスの歴史のような試験問題は、与えられた時間の中で、何にどのくらい時間をかけるべきか、あふれる情報の中から何を遅滞なく取捨選択するべきか、という社会人が持つべき能力を鍛えるのに役立つだろう。

日本の学校ではイギリスほど分量の多い論述試験がないので、私たちが試験を利用して時間の振り分けを学ぶ機会はほとんどない。その代わりとして、学校や会社でレポートを課された際、書くまでの準備期間や実際に書くときの制限時間を決め、時間を計りながら取り組むという習慣をつけることなどが短期のタイムマネージメント能力を高める練習になりそうだ。

集中力を保てるよう気分転換する

中学修了試験のひとつの試験の所要時間はおよそ1時間から1時間半。一番長いのは国語の近代文学の試験で、2時間15分もの長丁場だ。試験はひとつの科目で2~4種あり、別の日に分けて行われる。歴史は3種類の試験を受験しなくてはならないので試験は三日間にわたる。進学校の生徒は10科目前後を受験するから全部で約30の試験を受けることになる。約二か月にわたって試験日がちらばっていて、一日に2~3種の試験を受ける日も少なくない。

16歳でこれだけの長い期間を通して試験を受け続けるには相当な忍耐力と体力がいる。個々の試験では集中力が、試験期間中は努力し続ける精神力が必要だ。アイエルツの筆記試験で一時間書き続けただけでくたくたになってしまった私には、どの中学生もすごいと感じてしまう。

普通の日本人の中高生でイギリスの試験ほどまとまった量の文章を試験で書くことは、よほど特殊な教育を受けていない限りないだろう。参考までに都立高校の入試は全部で五教科。2023年からは15分程度の英語スピーキングテストが別途導入されたが、それ以外は一教科50分で、一日で終わる。

中学修了試験の期間、生徒たちは必修科目のみ全員一緒に受けるが、選択科目は生徒によって違うので、試験日程は自分で管理する。前述のように、大学へ進学したい生徒は試験を30くらい受けるので、試験日を管理しきれないこともあるのだろう。私が勤務していた4年間で日本語の読解の試験日を忘れて試験に遅刻した生徒が一人いた。

二か月の試験期間中、授業は普通に行われている。クラブ活動や娯楽行事もあり、これらへの参加は本人の意思次第だが、多くの生徒は参加していた。おそらくストレスを発散させたいのだろう。二か月という長期戦を張りつめて過ごすのではなく、リラックスする時間や他のことに集中して試験のことを忘れる時間を創り出し、メリハリをつけた生活を送る。このような生活のリズムを保つことが長い試験に耐えるコツのように感じた。

もっとも、私が勤務していた全寮制の学校では、試験期間に限らず夜も昼もなく忙しい。週末も学校行事が目白押しだ。そんな中、集中力の高い生徒の多くは勉強だけでなく、スポーツや音楽や演劇など他の分野にも積極的に参加し、活躍していた。気分転換が上手なのだろう。限られた時間の中で、勉強以外にやりたいことがあるから、逆に勉強に集中できるようだ。生徒だけでなく教員も同じように忙しいが、私の同僚たちも、仕事の合間によくスポーツや観劇やお菓子作りなどを楽しんでいた。

集中するときと休むときがはっきりしているのはイギリスの学校の特徴の一つだ。イギリスでも日本の学校と同様に春休み、夏休み、冬休みがあり、その他に学期の間にハーフタームという約一週間の休みがあった。勤め始めて間もない頃、ハーフターム前の最後の授業で宿題を出そうとしたら「学校の休みに宿題はないはずです」と生徒から口をそろえて言われた。休みに宿題がないなんてあり得ないと思ったが、確かに学校の教務部から「生徒を十分休ませるために休暇中に宿題を課すことは禁じる」という通達が出た。日本人の子どもたちが休暇中にも宿題に追われることがイギリス人には信じられないだろう。休暇中は教員たちも日直などの役目が無いため、大いに羽を伸ばしていた。

結果はすぐに出ない、だから待つ

中学修了試験は毎年5月から6月の二か月にわたって行われる。すべての結果が出るのは8月半ば。結果がすぐに出るマークシート方式ではないので、試験が終わってから二か月ほど待つことになる。この間、研修を受けた全国の採点者が解答用紙を一枚一枚採点する。(最近はコンピューター画面で採点する。) これはどの科目も同じ方法だ。イギリス人は「採点の手間を省けるように試験をマークシート式にしよう」などと微塵も考えていない。

私はイギリスの学校に勤め始めて最初の年、生徒たちに「イギリスでは試験結果が出るまでにずいぶん時間がかかるのね。待っているのはつらいでしょう?日本では入学試験の結果は高校でも大学でも遅くても二週間くらいで出るからね」と言ったら、「(結果発表に時間がかかるのが) 当たり前だと思っているので、特に長いと思わない」という答えが返ってきた。結果はすぐに出ない、だから辛抱して待つしかない、という悠然とした態度に私は驚いてしまった。しかし私も勤務二年目、三年目と月日を重ねるうちに、焦らずに結果を待つことに慣れてきた。

日本人はせっかちだと多くの国の人から思われている。それに反論する日本人は現今まずいないだろう。急いで結果を求める癖がつくと、長い目でものごとを見られないようになるかもしれない。考えられるだけ考えて行動したら、あとはゆっくり結果を待つ、という態度は教育や理系分野の研究などでも役に立ちそうだ。

打たれ強くなる

イギリスの授業では、普段から書く練習をする。書いたものに教師はコメントを加える。このコメントが時に厳しい。悪い点が付いたときは、書き直しさせられるときもある。日本のテストではたいてい○×をつけられるだけだ。コメントがあっても、よくできました、もっとがんばりましょう、など定型化された文言が多い。日本はひとクラスの人数がイギリスよりはるかに多いから教師もコメントする時間がないのだろう。

書くことが多いのは生徒だけではなく、教員も同じだ。たとえば学期末には親と生徒本人が読むために、通知表ならぬ通知レポートを書く。通知表のように一枚ではなく、全部で何枚にもなるレポートだ。各科目の教員が生徒の良い点、悪い点、生徒への提案などを細かく盛り込む。だから十科目習っている生徒がもらう通知レポートは十枚ぐらいになる。その他にクラブ活動などの担当教員は生徒のクラブでの健闘ぶりを詳細にレポートする。

私が、ある生徒のレポートを書いたときのこと。それをチェックした生徒のチューター（日本で担任にあたる先生）から「何を書いているかわからない」という厳しいコメントを受け取った。がくぜんとしてレポートを読み返すと、その書き方が自分本位で、読んだ人全員にわかるように書けていなかったことに気づいた。それから時間をかけて書き直したら努力は報われ、再提出したレポートはすんなり受け取ってもらえた。私の英語がまずかったせいもあるが、失敗の原因の多くはその内容だった。この経験により、記述問題で先生にダメ出しをくらってへこんでいる生徒の気持ちがよく理解できるようになった。

このように、イギリスでは生徒のみならず教員も（！）打たれる。しかし打たれるだけでは自信を無くしたり自己嫌悪に陥ったりするだけで、打たれ強くはならない。打たれ強いとは打たれた後でも精神的に屈せず批判に耐えられること。ハロウ校で教員を募集するとき、求められる性格の条件として筆頭に挙げられているのがまさに「打たれ強いこと（resilient）」だ。

生徒たちを観察していると、彼らは打たれればがっかりするが、立ち直りも早かった。その理由として、教師が批判と同時に誉めることを忘れないからだと思う。授業では教師から生徒にコメントを与えるだけでなく、１４９ページで紹介したように、ピアフィードバックを行うこともある。これは特に小学校で行われるが、たとえば「クラスメートの発表で良かった点を二つ、ここを直したらもっと良くなるという点を一つ言いましょう」と生徒に指示する。良い点を教師やクラスメートに指摘されれば自信がつく。

教師やクラスメートからのフィードバックで気持ちが傷つくこともあるだろうが、建設的な批判は必ず役に立つ。そして、前向きな生徒なら、他人に指摘された自分の改善すべき点を克服しようという気になるだろう。イギリスの現地校で小学生時代を過ごした日本人の女子によると、クラスメートからフィードバックを受けたとき、それが賞賛でも批判でも、みんなが自分のことを考えてくれるのが嬉しかったそうだ。彼女はまた「みんな、他人の良いところを探すのがうまい」とも言っていた。日本では子どもでも大人でもお互いに良い点を認め合ったりアドバイスし合ったりするような習慣はあまり無いが、みんなで打たれ強くなるために真似したいと思った。

理不尽なことに耐える

中学修了試験を受ける生徒はイギリス国内だけでも毎年70万人以上になる。ちなみに日本のセンター試験の2023年の受験者は47・5万人だ。イギリスで回収される全科目の解答用紙は毎年全部で数千万部にのぼり、採点者たちは手書きの長い記述式の解答を採点する。それを当たり前だと捉えているイギリスの教育には敬服の念を抱かずにはいられなかった。

しかし採点者の採点に私がいつも満足していたわけではない。ある年、私の12年生の生徒のうち二人が受けた大学入学共通試験の評価が不当に低いと思ったことがあった。（注：13年生だけでなく、12年生が終わる時点でも科目により大学入学共通試験の予備試験がある。）大学入学共通試験も中学修了試験と同様に採点のやり直しを申し立てられるので、躊躇なく再採点を申し込んだ。しかし二度目の採点の後も妥当な評価は得られなかった。そこで関係機関に自分の見解を表明した手紙をていねいにしたためたが、それでも受け入れられず悔しい思いをしたことがあった。この一連の成り行きに強いストレスを感じ、体が丈夫なことがとりえだった私が重い帯状疱疹になってしまった。

想定していたよりずっと低い点数をつけられた生徒たちは日本語がよくできる生徒だったし、努力もしていたので、彼らもどうしてそんな点がついたのかわからない、という様子だった。しかし、私が考えていたほど彼らが動揺を引きずることはなかった。気持ちの切り替えができなかった私は、二人のわきまえた態度から過去の結果に拘泥するむなしさを教わった。二人は13年生になっても熱心に日本語の勉強を続け、13年生末の試験ではそろって好成績を収めた。

中学修了試験の採点者はほぼ全員が現役の教師、または退任した教師で、そのほとんどは長年この仕事を続けている。イギリスでは教員の兼業が認められているので、自分のスキルアップのために採点者に応募する教員が多いのだ。

しかし採点者がどんなに採点のためのトレーニングを受けていて採点に慣れていても、人間のすることなので完ぺきではない。年によって、人によって、採点が甘いことも厳しいこともある。選択肢式や○×式のテストでは起こりえない理不尽な採点もある。しかしそれに耐え、気持ちを腐らせることなく挑戦を続けた二人は偉いと感心している。

同じようなことは、イギリス発祥のスポーツのサッカーやラグビーでも起こる。審判の言うことが理不尽だとしても、チームメートに迷惑をかけないようそれに従わなくてはならない。世の中には納得できなくても従うしかないことがある。だから納得がいかないことを引きずっていてもためにならない、気持ちを切り替えなくてはならない、ということを体得できれば、メンタリティーが強くなるだろう。

自国への帰属意識を高める

生徒は、教師やクラスメートからのフィードバックで打たれ強くなる経験や、試験の採点などの理不尽さに耐える経験、結果が出るまでじっと待つ経験などを通して、自分の身の回りのできごとに対処する自制心を鍛えていく。

さらに生徒たちは、歴史の勉強を通して自国が関わったできごとにも自制心を働かせて冷静に向き合う訓練をする。たとえば「ノッティングヒル地区の移民」の問題では、イギリス政府がカリブ海諸国からの移住者を不当に扱い、それに抗議する移住者を弾圧、警察や市民は時に移住者を殺害したことを習う。しかし、その問題に対して双方がどのように解決を試みてきたかも習う。「イギリスの医学の歴史」では、多くのイギリス人研究者が新薬や新しい治療法を開発し世界に貢献したことを学ぶが、それはギリシャ、ローマから続く先人による幾多の試行錯誤や命の犠牲の上に成り立っていることも同時に学ぶ。だから自国への過度な賞賛も自虐もしない。

現在イギリスの中学校で学んでいる知り合いの日本人男子は『略奪の帝国 東インド会社の興亡』という史実に基づいた長編大作を歴史の勉強の一環として読んでいる。この本の筆者はイギリス名家出身の有名な歴史家で、インドの人々と富を組織的に搾取したイギリス東インド会社の歴史を詳しく描いている。これを読めば、近世に植民地へ赴いたイギリス人がいかにずる賢こく、他国を犠牲にして身内や自国の利益を図っていたかがよくわかる。しかし、この男子がこの本を読んでイギリスを嫌いになることはないようだ。むしろイギリス人自身が過去のイギリスの悪事をつまびらかにし、その評価を広く世に問うている態度を評価している。

139ページの①リサーチスキル〝自分が事件の当事者になっている場合は、よりいっそう情報集めに注力〟でも書いたが、自国に有利な情報も不利な情報も集め、目を背けないようにする。そして、自国の反省すべき歴史を受け止める一方、人類の生活や意識を向上させたような行いには誇りを持つ。この過程で自国の将来的な課題も見えてくるはずだ。

そして、過ちを克服してきた歴史、または今なお克服しようとしている人々の存在を知れば、国や社会への想いは政府から押し付けられなくても高まるのではないか。

謙虚になる

イギリスでの教員生活で最も印象的だったことのひとつが、優秀な中高生や大学生たちが謙虚だったということだ。謙虚になる要因として、周りに優秀な人、努力を惜しまない人がたくさんいるから、という環境が大きく寄与しているだろう。しかしそれだけでなく、他人の優秀な点に気づかせる授業や試験のやり方も人を謙虚にさせるのに一役買っていると思える。

クラスは日本と比べ少人数なので、生徒の発言機会が多い。授業中のディスカッションで自分と違う意見を聞くと、自分のものの見方には限界があることを認めざるを得なくなる。そして他人も自分と同じように考えるだろう、という自己中心的な思い込みを排除できる。

授業ではフィードバックを先生と級友からもらうが、自分が級友に与える機会も多い。他人にフィードバックを与えるからには自分がそれに足る能力や結果を見せなくてはならない。偉そうなコメントを述べても自分はそれが出来ていなかったら、恥をかく。だから、人にフィードバックを与えるということは、実は自分の言動や能力を振り返るきっかけにもなる。冷静に自分の能力を振り返ればおごる気持ちはしぼむだろう。

歴史の試験には、「自分で探した情報を含めて説明しなさい」という問題がある。その準備のため生徒は自ら資料を探し、調べる。普通の感覚を持つ生徒であれば、事件や事象について調べれば調べるほどその道の専門家が多く、学問の奥が深いことに気づかされる。同時に、有名ではなくても人類のために偉業を成し遂げた立派な人が歴史上多く存在したことにも気づく。そうやって自分の能力がいかに限定的であるかを思い知らされる。日本の歴史のようにトリビアのクイズにとらわれている身では到底到達できない、自分が無知であることを自覚する境地だ。

歴史の試験で良い点が取れた場合、その生徒の努力はもちろん誉められるべきだが、イギリスのような論述式の試験では、その準備段階で教師による適切な指導の下で添削されない限り良い点を取ることは難しい。たとえば普段の授業で生徒は歴史のノートに論述問題の解答を書くが、評判の良い学校では教師のコメントはきめ細かい。「参照した資料が足りません。この点について書かれた資料を調べることも必要です」、「資料の有用性をもっと調べましょう」など具体的な注意点を指摘することもあるし、「適切な単語を使っています」と文章表現に言及することもある。生徒が「〜と思う」と書いたことに対し「先生もそう思います」、「こうも考えられないでしょうか？」、「これだけの資料で、そう断定できますか？」と感想を述べたり示唆したりもする。答えに足りない部分を補足することもあ

8年生(13歳)のノート

3. Look carefully at **Source C**. With which source **A** or **B**, does it most agree concerning the plague? (7 marks)

Source B is most agree concering the plague. It because in source B it describing how are the plague will effects on the people's body.
In Source C a man who is naked has many dots (spots) and woman is not very kind to him. So I can say source A is in another hand, because in Source A, it describing how are the people will hate victims.

5

Good try.

4. Look at **ALL** the sources. Which do you think gives the most useful evidence concerning the effects of the Black Death? (8 marks)

I think source B is the most useful evidence concerning the effects of the Black Death. It because source B is describing about illness properly but others are just showing how was the people react to the victims. On other hand, source C can be the most useful evidence. It because in this picture the house is burning and man is naked and making face sad, so I can know what was the town looks like from this picture.

4

You need to discuss the PROVENANCE of the source
→ who wrote it?
when?
where?
why? what for?

13/20 C+

7年生(12歳)のノート

3. 'English people hated the Normans after 1066.'

(a) What evidence would you use to support this statement?

English people hated the Normans because they built castle and they said that the country is ours now. So they might be angry and hated.

(b) Why doesn't that evidence definitely prove that the statement is correct?

Because Normans thought that Saxons are going to hate them and we don't know that they definitely do.

(c) What sources would you need to prove definitely that the statement is correct?

There was motte and bailies and Normans actually attacked England which is The Norman Conquest.

We would need sources that told us what the Saxons were thinking and feeling

B Good try. These were quite hard.

る。自分の経験に照らし合わせれば、歴史のノートは教師が黒板に書いたことを書き写すもので、教師がそれをチェックするということは小・中・高時代になかったので、生徒と教師で作り上げていくノートを見てうらやましく思った。

勤務校では教員が生徒のノートチェックを定期的に行う決まりがあった。学年や科目によって頻度は異なるが、私はほぼ一週間に一回ノートチェックをして、生徒の誤記を直したりコメントを添えたりしていた。

成功が自分だけの努力や能力の結果ではない、ということを説明するときに、ラグビーの話がよく使われる。ご存じの方も多いと思うが、ラグビーでトライを取った選手はあからさまに自分を誇るような態度を見せない。トライはチームメートの努力が結集したもので、決して自分一人の力でもぎ取ったものではないからだ。ラグビーは、すべての学校で行われているわけではないが、女子の間にも広まっており、イギリス人にとって重要なスポーツである。

私たちは自分の力を過大評価する時がある。しかし、自分の実力や成果は周りの人たちの支えや先人たちの努力の積み重ねの上に成り立っていることを、歴史の勉強は教えてくれる。また、私たちはふだん無意識のうちに、思い込みでものごとを判断しがちだ。しかし、人の意見を聞いたり、資料を調べたりすると絶対変わらないと思っていた自分の意見さえ変わることがあるのに気づくだろう。他人からのコメント、文献や視覚的な資料にたくさん触れることで、自分の考え方が絶対正しい、とか自分の方が優れている、という思い込みをなくし、柔軟で謙虚な考え方ができるようになるのではないか。

結果に責任を持ち、自信をつける

イギリスの試験は論述式ゆえ、生徒は書いたことに自分で責任を持つ。試験では書いた内容が吟味され、正しい国語を使っているかをチェックされた上で、得点という結果になって自分に返ってくる。選択肢問題はないので、あてずっぽうで選んだ答えがあっていたというまぐれ当たりはなく、運と実力を取り違える事態は発生しない。

歴史の試験では、テーマを事前に決めてあり問題もほぼ予想がついているので、準備すればするだけ思考力と表現力が増し良い解答を生み出せる余地がある。向上心のある生徒ならさらなる探求心を掻き立てられ、もっと本を読んだり、資料を調べたりして知識や思考の幅も深めていくだろう。点数が良くなかった場合は、何がどう悪かったかを考えられ改善へ結びつけられる。たとえば説明に根拠が足りなかった、資料の読みが浅かった、資料の種類が足りなかった、問題文の意図を誤解していた、説明が冗長だった、などである。勉強しなければ、勉強した人との間に大きな差がつくが、それも自分の責任だ。試験問題が事前に想定できるので、言い訳はできない。

一方、選択肢問題では受験者の解答の質を良くする余地はない。膨大な試験範囲をカバーしなくてはならない日本の試験では、「山がはずれた」、「勉強したところが出なかった」こともよく起こり、答えが「あってた」と喜ぶか「間違った」と悔しがるかだけだ。点数が良くなかった場合は、不正解だった問題で問われていた事項を覚えていなかったことを意味する。その解決策としては、もっと多くの事項を暗記すること。だから、日本とイギリスの試験は本質的にまったく違う。

失敗は誰でもするし、失敗をするのは悪いことではない。悪いのは失敗を生かせないことだ。教師に論述問題をしっかり添削してもらえる場合、生徒は失敗を受け止め、反省して次の機会に失敗を生かせる。

もし私が中高生時代に、一生懸命調べて考えて書いたことが評価されたら、マークシートで正解を得たときと比べ物にならないほど嬉しかったと思う。その嬉しさは自信につながっていく。そして、自分で考えたことに自信が持てるようになる。

自分の結果に責任を持つとは、結果がどうであれその結果を人のせいにせず、受け入れるということだ。自分で選んだ行動が良い結果につながれば自信がつき、さらに次の行動のモチベーションになるという正のスパイラルが続いていく。良い結果につながらなかったとしても、その行動を反省材料にすることができるだろう。ささいなことでよいから、自分が書いたことや言ったことに責任を取る、そして結果を人のせいにしないという感覚を持ち続ければ、小さな自信が蓄積され、好ましい結果が期待できるようになるに違いない。

前節で、歴史の勉強が人を「謙虚にさせる」と書いておいて今度は「自信を持たせる」というのは矛盾ではないかと指摘する方もいると思う。しかし、「謙虚になる」の反対は「慢心する」で、「自信を持つ」ことと違う。慢心は過度の自信であり、自己を評価するときに冷静さを欠いている状態だ。冷静に考えれば謙虚な気持ちを取り戻せる。そして自分が考えられる範囲やできる範囲が明らかになっていき、強さも弱さも含めた自分自身を知ることができる。それが適度な自信を育て、自己肯定感を高めていく。

④問題解決スキル

「身近にいる大人たちが過去のできごとについて話すとき、その話を比べてみましょう。大人の記憶はどのくらい正確でしたか」。これは小学校低学年生の歴史の授業の一コマだ。人の記憶はあいまいであることや人によって物事の捉え方が違うことを子どもたちは身の回りの人物から実感し、それを史実にまであてはめて考え方を学んでいく。

クリティカル（批判的）に考え、判断する

イギリスの歴史の試験で、私にとって衝撃的だったのは、自分の考えを説明しなくてはならない論述問題があったことだ。日本でも、事件の経緯やその影響を説明させる記述問題はある。しかし、何かを考えさせ判断をさせる問題に出会ったことはなかった。たとえば「毛沢東の中国」の問3（d）「解釈2で書かれている中国共産党が内戦で成功した理由について、あなたはどのくらい賛成するか」がそれにあたる。「イギリスの医学の歴史」問3、問4も同様だ。「これらの情報源（資料）は与えられた課題を調べる時、どう役に立つか（how useful）」という問題でも、自分で判断した答えを書く。

判断を導くためには、クリティカルシンキング（批判的思考）を活用する。クリティカルシンキングは、単に疑ったり批判したりすることではない。自分には偏見や先入観があることを自覚した上で、そこから脱却し、ものごとを慎重に、隔たりなく、合理的に考え、判断していくことだ。

まずはリサーチスキルを駆使して情報源に含まれる情報の有効性を検証する。「毛沢東の中国」では、与えられた二つの解釈と自分で勉強して得た知識を根拠にして、その解釈を支持するのか、しないのかを判断する。生徒は与えられた解釈／意見に対して、自分の判断をどう結論付けたかという理由をはっきりさせれば全面的に賛成しても反対しても、部

分的に賛成しても良い。賛成か反対かは採点基準にならない。

答えを考えついても、自分の判断を過信せず、それを否定する十分な根拠がないかどうか、つまり反証されないかに注意を払わなくてはならない。模範解答を見れば、自分とは違う意見や見解の言い分もじゅうぶん考慮されていることがわかるだろう。

日本の歴史の授業や教科書で、「歴史上の事件や現象について考えてみましょう」と問われたとき、私たちは批判的に考えるというより、思いを馳せる、別の言葉で言えばそれらの情景を思い浮かべようとするのではないだろうか。それはそれで歴史のロマンを感じられて楽しい。しかし、それに批判的に考える姿勢を加えたら、歴史の勉強がさらに奥深く、有意義になるだろう。

ロジカル（論理的）に相手を納得させる

日本人の子どもは学校で、遠足や運動会についての作文や読書感想文を書く。これらの文章では、自分の考えを積み立てて読み手を納得させるように書くことはあまり重要ではない。それよりも風景の描写や自分の心の動きなどを情緒豊かに描くことに重きが置かれる。説明文を書くときも「起承転結や序論・本論・結論を意識しなさい」と言われるが、それらはどちらかというと書き方の体裁についての注意で、結論をどう導いたかについて細かく問われることはほとんどない。だから、学校で長い年月を過ごしているのにもかかわらず、意識して訓練した人でない限り、日本人は総じて論理的に思考を積み重ねて文章を書いたり話したりする習慣をつけていない。

情景を繊細に綴る文章を書くことも重要だが、読み手が納得する文章を書けるようになることも同じく重要だ。なぜなら、学校でも職場でもチームで何かの目標に向かって共同作業をするとき、仲間を感情だけで動かすのは難しく、論理的な説明で納得させる必要があるからだ。近年推進されているＳＴＥＭ教育を構成する理系科目においても論理を組み立ててそれを文章や口頭で発表する力が求められる。この論理的な思考を育てるのに大きな貢献をしていると思われるのが議論の習慣だ。

イギリス人は議論好きとして知られる。これは学校で小さい頃から議論をする機会を提供しているせいかもしれない。どの科目にも言えることだが、授業は参加型で、生徒が話す機会が多い。教員一人当たりの生徒の人数が日本よりずっと少ないこともこのような授業を可能にしている要因だろう。

小学校の歴史の授業の様子は第一章でも少し紹介した（41ページ）が、史実について自分の考えを発表したり、クラスメートの意見を聞いたりする。お互いに意見を聞いて、自分とは違う意見があることがわかる。生徒の数だけ答えがあるのだ。絶対的な正解も間違いもないから日本のような「答え合わせ」はない。「古代ローマ人は歴史上最大の発明家か」、「第二次世界大戦でアメリカが日本に原子爆弾を落とす必要はあったか」、「アメリカ同時多発テロ事件のあと、イギリス軍がアフガニスタンに介入したのは正しかったか」など、古代史からつい最近の史実まで議論のテーマはつきない。授業以外でも、課外活動として生徒たちが議論をする場は多く、議論のテーマとして歴史上のできごとや人物は好まれている。

議論をするためには、ロジカルシンキング（論理的思考）を活用する。つまり、まず論点を明確にし、資料を集めて論点に対する自分の意見の根拠をはっきりさせる。次に、相手に、自分の考えを順を追ってわかりやすく説明する。また、質問に対して相手が納得できるように答える。これは、まさに歴史の試験問題で求められること。生徒たちは普段の生活でも歴史の試験に対応できるような考える力、言い換えればリサーチスキルとコミュニケーションスキルに支えられた論理的思考力を鍛えているのだ。

日本では議論をする習慣があまりないので、相手を理論的に納得させるのを不得意とする方も多いだろう。他人と同じように考えたり行動したりすることが身に付いている日本人にとって、他人と違う意見を表明することは和を乱すように感じ、難しいかもしれない。私もその昔、議論は口げんかのようなもので自己主張が激しい人がすることだと思っていた。しかし議論は、より良い結果を得るために誰かと一緒に考えるプロセスだということが、いろいろな国籍の人と働くうちにわかってきた。

将来、自分が所属する組織を良くするため、さらには国や世界が抱える問題の解決を目指して議論をする機会に備え、若者たちは議論の練習をする。スポーツで試合が終わればお互いの健闘をたたえ合うように、議論で意見が対立しても、議論が終われば引きずらない。運動で体力や筋力が鍛えられるように、議論で考える力も精神力も鍛えられる。しかし、それは練習を重ねてはじめてできるようになるのだろう。学校での討論会で、相手の話を聞き入れつつ持論を上手に展開していく上級生を見て、そう思った。

自分で問いを立てる

「ノッティングヒル地区の移民」の問2（b）は、「カリビアンカーニバルについてもっと理解するために与えられた資料をどのように活用して調査するか。自分で問いを立て、それに答えなさい」と生徒に求める。これは、史実をより良く理解するために自分でやるべき課題を見つけ、自分で探した資料を使ってその課題を解くというプロセスを経験させる問題だ。この問題では難しい課題も長い記述も要求されていない。しかし、自分で問いを立てる重要性を教えてくれる良問だ。少なくとも私はこのような問題を日本で見たことはない。テストでは質問は与えられるもので、自分がするのは答えることだけだと思っていた。だから、最初にこの問題を見たときはどのように対処したら良いのかわからなかった。

自分で質問を作ることで、考える癖がつき、思考停止を防止することができる。また、質問に答える過程で、さらに別の角度から新たな質問が生れてくることがあり、多方面からものごとを考えられるようになる。理系の分野では、疑問が発見や発明につながることが偉人の伝記などによく書かれているが、文系の分野でも疑問は立てられる。たとえば勤務校では生徒たちが史実に疑問を感じたら自主的にそれを調べ、口頭や文書で発表していた。その例は尽きず、私が退職する前の数か月間だけでもたくさんの発表を目にしてきたが、いくつか例をあげよう。「小国ブータンは、大国の中国とインドに挟まれながら、なぜ独立と繁栄を保ってきたか」、「はしとフォークはどちらが優れているか。双方の起源から考察する」、「中国の道教は近代の政治家たちにどう取り扱われてきたか」、「K―POP流行の行きつく先は？　19世紀のアメリカ人宣教師たちが広めた軽音楽からの変遷を探る」。どの発表者も自ら生み出した課題を楽しそうに調べていた。

脳科学の専門家によると、質問することで問題が浮き彫りになって解決法が提案できたり、よい質問をすることで良い答えが得られるようになったりするという。周囲のことがらに対し自発的に問いを立てることを心がければ、問題発見能力を鍛える効果が期待できるだろう。

多様性を学ぶ

イギリスに、庶民の目線で書かれた『身の毛がよだつ歴史』（Horrible Histories）というシリーズ本がある。悪名高い国王がいかにばかばかしいレジャーを行っていたか、スポーツが時にいかに残酷だったか、庶民は貧しさから脱するためにどんな犯罪に及んだか、など歴史のネタをおもしろおかしくイラストを添えながら描いている小学生向きの本だ。大人気を博しイギリス公共放送BBCの子ども用チャンネルでドラマ化され、映画にもなった。大人の私もこの本で愉快に学んだが、歴代の国王や有名な政治家を庶民が笑いものにするようなこのシリーズを公共放送がドラマ化したり、本を授業で使っている学校もあることを知り、日本では考えられないおおらかさに驚いていた。

イギリスでは、史実を、身分や立場がそれぞれ違う人物の視点から考え想像する。たとえば「イギリスの医学の歴史」では、教会の神父、国王、科学者、医者、看護師、一般庶民、政治家などが登場し、入れ代わり立ち代わり主役になる。支配者の目線から書かれた歴史とは違う、多様な人々によって紡がれる歴史がいきいきと展開する。

多様性（ダイバーシティ）は学校の中でも町の中でも学べる。しかし、歴史には人類の営みすべてが詰まっている。歴史はまさに多様性の宝庫だ。時空を超え世界のすみずみから民族や宗教や生き方、考え方の多様性を学ぶことができる。たとえば私が、本書で紹介した試験問題の中で興味を引かれたのは、「ノッティングヒル地区の移民」のカリブ海諸国出身者が深刻な人種差別問題を解決するため何をしたかだ。彼らは自分たちの文化である陽気なカーニバルを開催することでイギリス人と融和しようとした。この発想は彼ら独特であり、考え方の多様性の一端を学べる。

ところが日本では試験が歴史を暗記科目にしてしまっているので、少なくとも私は年代や人名を覚えるのに必死で、文化や信条の多様性について頭が回らなかった。また、日本の歴史教科書は基本的に為政者から見た歴史が書かれているため、為政者以外の人々のことまで考えが至らなかった。加えて、私たちは諸外国ほど階級や貧富の差がない日本という島国で、同じような教育を受けて育ってきているので、実社会で自分と境遇がかなり違う人や社会について知る機会がなかなかない。

多様性のある社会の実現が多くの国でさかんに呼びかけられている。今、多様性は少数派の人を守るために「認める」ものではなく、違いを「生かす」ためにある。世界的に定評のあるマネジメント誌によれば、適切なリーダーがいれば多様性に富んだチームのほうが好結果を生みだすことを、多くの調査が一貫して示しているそうだ。さまざまな経歴の異なる人たちが集まれば、新しいアイデアが生まれてくるチャンスがはるかに広がるという。

私がイギリスで見てきた生徒たちは、人と違うことに価値を置く傾向があり、なるべく人と違う意見を言おうとしていた。日々の授業で、人によっていろいろな意見があるのは当たり前ということを体得しているので、自分の意見をふせて人の意見に無理に同調することはない。同時に、少数の意見を多数の意見に同調させる、いわゆる同調圧力もなかった。

歴史の勉強を通して人々が持つ多様性に気づき、その良さを自分の学校で、職場で、多局面に活用していきたい。

想像力を働かせ、相手の視点に立つ

ハロウ校で教員を募集するとき、求められる性格として「打たれ強いこと」を先に書いたが、「思慮深く、気配りができる（tact and discretion）」ことも重要だ。これはたいていの職場の求人条件にもあてはまる大切な要素だろう。気配りをするには、他人の気持ちや立場を理解し、他人になったつもりでものごとを考えなくてはならない。

そのためには想像力が不可欠だが、これは宇宙人を想像するといったファンタジー的な想像力とは違う。他人の境遇や気持ちを想像する力のことだ。こちらの想像力はその人が過去にやったり見たりした体験または思い込みに大きく左右され、自分で意識しない限りなかなかふくらんでいかない。

想像力を育てるためには、読書でいろいろな人の生きざまや境遇を追体験することが役に立つ。しかし、歴史の勉強もその素養を鍛えるのに役立ちそうだ。自分が歴史の当事者だったらどう行動するか、資料の作成者ならどう書くかと主観的に考えてみる。たとえば授業では、生徒が歴史上の人物になったつもりで自己紹介や日記を書いたりする。軍人になったつもりで戦略を考えることもあれば、映画監督になったつもりで歴史的な出来事を描写する試みもある。

勤務校では歴史上の事件を取り扱う時、なぜそれが「起こった」かという点はもちろんのこと、「誰が」どうしてそれを「起こした」か、という人（または人々）の気持ちの動きも重視していた。特に第一次・第二次世界大戦については、人々がどう戦争を「広げた」か、という動機を追究していた。

この試みは、日常生活の対人関係でも応用が効くはずだ。相手の考えを聞いたとき、なぜそう考えるのかと想像力を働かせることで視点を共有できるようになるからだ。もちろん自分の目の前にいる相手を理解することは、過去の人物を理解することほど簡単ではない。お互いの利害関係や感情などが絡んでいるし、たとえ相手を理解できてもそれを行動で示せるかどうかは別の話だ。しかし歴史の勉強で、多かれ少なかれ他人の視点を考えるくせはつく。たとえば、あなたは後輩の行動を見て、後輩をしかりたくなったとする。そのとき、なぜ後輩は自分を怒らせるような行動をしたのか、後輩がそのような行動に走った原因は何か、という動機を探るべく、後輩の言動に影響を及ぼしてきた環境や体験、信条などにも考えを巡らせる。

他人のことばかりでなく自分のことについても、なぜ自分はそう考えるのか、と問いかける。先ほどの例では、自分はなぜ後輩に怒っているのか、自分が後輩を怒る正当な理由はあるのか、自分とは違う考えや行動をはねのけていないかを自らに問い、自分が後輩の立場だったら自分はどう見えるのか、を想像する。そうすれば、自分が慣れ親しんでいる考え方の枠組みを客観的に見られるようになるだろう。

ものごとを俯瞰してバランス感覚を磨く

「イギリスらしい問題だなぁ」とアメリカ通の日本人夫婦が感嘆していたのが「あなたはこの見解／意見にどのくらい賛成するか。(How far do you agree?)」という問いだ。本書に掲載した例では「毛沢東の中国」の問3（d）や「イギリスの医学の歴史」の問3、問4がそれにあたる。ただ単に「賛成するか、反対するか」ではなく、「どのくらい」と聞くのが、アメリカ流と違うとその夫婦は考えたらしい。

「どのくらい賛成するか」と聞かれることに慣れると、まずは全体を見てから自分が賛成できる部分はどこか、反対する部分はどこか、を考えるようになる。だから、人や意見に全面的に賛成したり反対したりする態度をあまりとらなくなるのではないだろうか。たとえば、イギリス人は（ひいきのサッカーチームには狂信的になることはあるものの）、特定の政治家や政党を狂信的に支持することはほとんどない。複数の見解があるときは、限られた見解に共感しすぎるのを避けるべく、全体を俯瞰しようとする。そのために自分は距離をとって客観的な立場に身を置く。そして第三者として思考のバランスを保てるようにする。

イギリス人の子どもは学校で議論をする。私の勤務校で行われていた公式の討論会では、裁定者がいた。裁定者とは、議論の論点が逸れたらそれを修正したり議論の優劣を評価したりする人だ。裁定が上手な教員は生徒から尊敬を集めていた。討論を静観し偏りなく的確に判断できるからだろう。私が顧問を務めていたクラブでも討論をした。そのクラブはアジアに関する諸問題を話し合うクラブだ。生徒が裁定者の役割りを果たすことが多かったが、裁定者役を務める上級生は下級生のあこがれだった。

ジャパノロジスト（日本通の知識人）として知られたイギリス人のトレバー・レゲット氏は1973年に著した『紳士道と武士道』で、日本人は一歩退いて事態を全体的に見ようとするやり方より「捨て身」の方が良いと考えているのではないか、と述べている。彼の分析によれば、日本人は傍観することなく、結果や効果を考慮することなく、全身全霊をそこに打ち込む。一方、イギリス人は結果や効果をいつも見据えて行動する。この態度はイギリス人の理想とされる。彼の分析が現在そのままあてはまるかどうかは考慮する必要があるが、イギリス人は冷淡だと諸外国から評されるのはこの態度に起因するのだろう。

藤原正彦氏は「おそらく世界で最もバランス感覚を持っているのはイギリスです」と評している。イギリス人のバランス感覚が優れている要因の一つは歴史の勉強でものごとを俯瞰する訓練をしているからかもしれない。

この見方を学べば、仕事上など大切な判断をする場面で、感情や好き嫌いに左右されなくなるのではないか。

考えるための土台を作る

イギリスの中学修了試験の歴史問題はテーマがいくつかに限定されているため、生徒はそのテーマ以外の史実の知識が欠如するという弊害が伴う。それでも、育ちざかりで頭が柔軟な十代のうちに「クリティカルに考えて書く」という訓練を受けた生徒と、情報を暗記させる教育を受けた生徒では、その後の人生で差が出てくるだろう。記憶力は20歳前後でピークを迎え、その後は衰えていく。しかも試験のために暗記したことは定着せず、覚えている内容も正確に再現できるとは限らない。

また、中学修了試験にはどの科目でも内容の正誤を○×式で問う二元論的な問題はない。そもそも34ページで触れたように○×式の問題は試験ではない。だから、どちらかが正しく、どちらかが間違えているという二者択一の短絡的な思想に慣れることもない。

ものごとの考え方を教わっていれば、年齢を重ねて記憶力が衰えても頭の中に考え方の土台が残る。この教育は、花壇で例えれば土を十分に耕してから花の種をまくようなものだ。一方で情報を詰め込む教育は、土を耕すことなくすでに咲いている花をたくさん持ってきてそれを土に植えつけるようなものだろう。前者の教育は時間がかかるが、この教育効果を十分に生かせる生徒はいずれ花を育て咲かせることができ、花が枯れても土壌が良いのであとから種を植え花を育てていける。しかし後者の教育では花が咲いている短い期間だけが華だ。受験が終われば忘れてしまう程度の情報は、次の段階に生かすことがなかなかできず、考え方も体得できない。

現実の生活では、考えなくても生きていける。しかし考えることで、与えられた環境や将来を良くする可能性がふくらむ。職業の選択の幅も広がるし、問題が起こったときにも解決への道筋が立てやすいだろう。今まで「考えてもしかたがない」と思ったことがある方は、リサーチスキルや問題解決スキルを駆使しながら本当に深く考えていたのか、を考え直していただければと思う。もし、考えても結果が出なかった、という方は考えたつもりになっていただけかもしれない。

近年の医学の研究によると、大人になっても脳は発達する余地があるという。だから、誰でも今から考える土台を築くよう意識すれば、考える力はついてくる。

教養を身につける

教養を身につける重要性を、日本の有識者たちは声を揃えて唱えている。教養がある人とは多方面の知識が豊富な人と考えられてきた感があるが、「中央教育審議会」の答申では教養を「個人が社会とかかわり、経験を積み、体系的な知識や知恵を獲得する過程で身につける、ものの見方、考え方、価値観の総体」と定義している。

ここで教養を育むのに必要とされる「知識」について改めて考えてみたい。知識と情報は同じ意味で使われるときもあるが、中学修了試験の歴史では分けられている。たとえば「毛沢東の中国」の問2で、毛沢東が文化大革命をはじめた理由を説明させるときは、「自分で探した**情報**を使いなさい」としている。一方、問3（a）で、与えられた情報源がどう役に立つかを説明させるときは「歴史的文脈に関して自分で得た**知識**を用いなさい」としている。問3（a）は問われている事件の歴史的文脈つまり事件の背景や原因、結果、影響などを自分で勉強した上で資料の価値や限界を判断し、それを説明させる問題だ。ここから、判断をするときには情報ではなく知識を用いることがわかる。また、この試験では、情報は何かに関する事実で、知識は学習を通して得られる情報という意味で使われていることもわかる。ちなみにオックスフォード英英辞典では、知識は「教育や経験によって得られた情報、理解、スキル」と説明されている。

日本人は歴史を勉強するとき年号や人名を時系列で無味乾燥に覚えていきがちなので、情報が知識に発展せずに情報のままとどまっているのではないだろうか。情報が知識になる過程では自分の頭を使うので、知識は記憶に残りやすいが、情報は頭の中を素通りしていくだろう。

教養は頭の良さだけではなく、優れた人格も伴う。本来なら歴史を学ぶことで知識に立脚した幅広い教養を身につけられ、それをもとにものごとの全体像を掴む大局観や他人の視点を理解する想像力を育て、人格までも磨いていける。さらにその教養で、世の中や人に働きかけることができる。それなのに日本人はものの見方、考え方を習わないのでせっかく苦労して覚えた情報が役に立たない。また、覚えている情報も偏った情報から構成されるものかもしれないが、偏っているかどうかを確かめる癖もついていない。

たとえば「イギリスの医学の歴史」の勉強では古典、社会、宗教、科学など幅広い分野の情報を材料として集め意味を持つように結びつけ知識にしていくので医学の歴史を長い視野で総合的に捉えることができるようになる。さらに、病気の克服や医学の発展のために政府や研究機関や個人は何をすべきかを考えるきっかけを与える。

「毛沢東の中国」のような現代史の問題は、中学修了試験の歴史の数ある問題の中で一番配点が高い。現代史は生徒にとって一番重要な問題だということだろう。現代史の問題では、第二次世界大戦前後の国際関係やイデオロギーの対立、日本の立場の推移などを様々な視点から学べ、その学識は現在の世界を語ったり、政治問題の解決の糸口を考えたりすることに役立つ。

ある一つの事件や事象に対して、なぜそれが起こったか、それはどのような影響を与えたかを念頭に、その前後の事件や事象につなげていくという有機的な考え方が常にできるようになれば、教養ある日本人のみならず教養ある外国人とも対等にわたり合えるようになるだろう。

巻末の資料（220ページ以降）に通史と現代史の問題をリストアップしてあるので、ぜひこれらに挑戦していただきたい。

長いスパンでものごとを見て、未来を予測する

イギリス式の歴史の勉強では、個々の事件の詳しい年号を覚える必要はない。その代わり、この事件は長い人類の歴史上どのあたりで起こったか、という視点を大事にする。授業では、長いタイムライン（年表）が示され、今勉強している史実は全体の中でどこに位置するか、その史実が起こる前には何があって、その後に何が起こったか、というつながりをいつも意識できるようにする。

通史問題「イギリスの医学の歴史」では、古代ギリシャ・ローマから現代までを含めた長期間のスパンでその間に起こった変化や連続していたこと、進歩や衰退のプロセスを追う。このように通史を見ることで、歴史上の成功や失敗から学ぶべきことがいかに多いかがわかる。たとえば、医学は人々が宗教や政治の権威にとらわれず柔軟な発想をするようになって飛躍的に発達したこと、研究者が国を超えて薬や技術の開発に取り組んだ結果大きな偉業を成し遂げたこと、戦争で薬の需要が爆発的に増大したことが原因で薬の生産や流通が促進されたこと、医学や薬学への投資が進歩を加速させる大きな要因になりうることなどは、現代社会にも示唆を与えてくれる。

医学上の新しい考えや方法は、それが正しいと人々が理解するまではいつも時間がかかっていたこと、人々は従来の考え方に固執しがちで新しいものに批判的、攻撃的であるこ

と、新しいものを受け入れるときに利害関係が絡むことなどは、どの時代でも変わらない人間の本質や心理を明らかにしてくれる。

また、正解と思われていたことも、時代によって変わっていくことを体得できる。たとえば、今となっては信じられないが、中世の多くの人々は病気が祈祷や魔術で治ると真剣に信じていた。現在私たちが正解だと信じていることも、後世から見れば的外れなことかもしれない。長いスパンでものごとを捉える勉強は、人々の考えに絶対的な正解がないことを教えてくれる。

さらに、社会で影響力を持つ実体も一定ではないことがわかる。中世の政治の中心は宗教家や王族・貴族だったが、近代になってそれが選挙で選ばれた政治家に移り政府の権力の拡大を経て一般の人々の声が重みを増してくる。この過程を勉強すれば、権力は推移し続けること、さらには国家間の力関係も絶え間なく変化し続けていることが実感できる。

長いスパンでものごとを見ると、今に至るまで影響を及ぼしているような過去の重要なできごとが認識でき、その先に起こりえることをある程度は予想できるようになる。たとえば「イギリスの医学の歴史」によると、イギリスは日本の江戸時代末期には世界に先駆けて感染症対策に取り組み、ワクチンを開発し、政府の統制下でワクチン接種を進めていた。そのような体制がすでに整っていることを知れば、２０１９年末から始まったコロナ禍の世界的流行でもイギリスがその対策に先陣を切ったことは容易に予想できただろう。

また、長い歴史の中にはターニングポイント、つまりものごとを劇的に変える事件や発見、発明があることを理解できれば、現在起こっていること、または未来に起こりうることがターニングポイントとなって国際関係や地球環境が大きく変わることが予想できるだろう。

ものごとを考える際、直近のことがらだけを対象にするのではなく、幅広い時間軸の中で前後の因果関係や歴史的経緯を含めて考えれば、考えに深みが増す。そうすれば、目の前の事象だけを見て考えの浅い発言をする失態も避けられるだろう。先行き不透明な現今の世界にあって、将来のために歴史を役立てる方法はいくらでもあるはずだ。

第五章
「歴史」を学ぶとこう行動できる

「将来役に立たないことをなぜ覚えなくてはならないんだろう」、「今暗記していることはテストが終わったら使用済の知識。すぐ忘れるだろうな」。歴史の勉強に取り組むとき、このように考える日本人は少なくない。

「将来役に立つと思う教科は何か」という高校生に対する2018年のアンケートで、地理歴史は9位だった。これは一般受験科目の中で最低である。歴史と地理はまとめて一教科に数えられているので、歴史だけの統計はないが、役に立たないと思われていることは明瞭だ。ちなみに1位は2位に大きな差をつけて外国語、2位は国語、3位は数学だった。

イギリスの首相や有名な政治家、実業家、活動家などを輩出しているオックスフォード大学の哲学・政治・経済コース（PPE）では、大学入学共通試験を受ける際に必修科目はないものの、数学と歴史を受験科目にするように勧めている。イギリス人が歴史は役に立つと思っている良い証拠だ。

日本では歴史の勉強を生かす例として、戦国武将の機転や策略、情けに篤い名君から道徳心や人心を掴む術などが教訓としてビジネスや教育現場で生かされている。

イギリスでは歴史人物から教訓を得るよりも歴史を通して考え方を学ぶ。第五章では今までお読みになったことを念頭に、イギリス人が歴史を学んだ成果が表れていると考えられる事象をいくつか見ていきたい。

自分の失敗を認める

2021年10月、イギリス政府は「コロナウイルス：こんにちまでの教訓（Coronavirus: lessons learned to date）」を発表した。そのレポートの目的は「政府の対応の成功と失敗を正確に理解し、将来その教訓が生かせるようにする」ことだ。レポートでは政府が行ったことを細かく分類し、それぞれに「この点は見積もりが甘かった」、「間違いだった」、「推測が甘かった」など評価とその詳細な理由を加えており、初期の対応の多くをはっきり失敗（failure）と認めている。これは謙虚な態度だと言ってよいと思う。一方、ワクチン開発のための研究にいち早く投資したこと、ワクチン接種が迅速に進んだことなど良い結果とその原因も明らかにしている。このレポートはインターネット上で公開されているので、国民だけでなく世界中の人がその内容を共有できる。

イギリスの歴史教育でもっとも印象的だったのが、イギリス人が自国の歴史を、それがまったく褒められない歴史であっても淡々と語ることだった。本書では「ノッティングヒル地区の移民」でイギリス人側の対応が不適切だったことが褒められない歴史にあたる。この他にも、歴史上いろいろな人種を差別してきたこと、特に17世紀から20世紀にかけて続いた帝国主義時代に多くの人を不幸にしたことを授業で習う。アフリカの黒人を奴隷としてアメリカや自国に連れて行き売買した奴隷貿易について、ある教科書は「奴隷制は、イギリス史のなかでも心が痛む歴史のひとつです。多くの人が今日、イギリスがそのように残忍な貿易に従事していたことを知って衝撃を受けています。そうした過去を完全に忘れてしまったほうがよいと考える人びともいないわけではありません。しかし、良心的な歴史家というものは、過去の難しい話の断片に目を背けることを良しとしません。(『イギリス中学校歴史教科書　イギリスの歴史【帝国の衝撃】　世界の教科書シリーズ14』)」と、はっきり過去の過ちを認め、それを忘れないように生徒に促している。

2014年にアメリカ人監督が撮った「ナショナル・ギャラリー　英国の至宝」というドキュメンタリー映画では、ロンドンにある国立美術館で働く人々の日々の仕事が映し出される。美術作品を来場者に説明する学芸員は何人も登場するが、そのうちの一人は16世紀から19世紀の名画の数々を前にしてイギリス人の生徒と思しき一団にこのように諭す。「大事なことは、ここのコレクションは奴隷貿易で得たお金で成り立っているということです。コレクションの主要な絵画を収集したジョン・ジュリアス・アンガースタインは奴隷船の保険を引き受けるロイズのメンバーでした。テート・ギャラリーにせよ大英博物館にせよ大規模な組織の多くが奴隷制で成り立っています。人々がこのような過去を忘れずにいること、そして理解することが重要です。また英国のひどく恥ずかしい歴史も忘れてはいけません」。生徒たちはみな静かに学芸員の言うことを聞いていて、嫌悪感を示すそぶりは誰も見せなかった。学芸員が「人々」つまりイギリス人はもちろんのこと、イギリス人以外の人もこの事実を忘れてはいけないと言っているのが印象的だった。

　コロナ禍の初期対策の話に戻ると、公式に現在の失敗を認めるということは、自国の行動を冷静に分析できている証拠であり、弱みを表に出す勇気を持っていると言えるだろう。国民は歴史の勉強で、自国が歴史上のいくつもの過ちを認めていることを知っている。だからからこそ、政府は対応がまずかったことを迅速に認められるし、失敗を未来に生かそうと考えられたのだと思う。

相手の失敗を受けとめ、生かす

　日本人は自国の歴史、特に近現代史に言及する際、警戒心を抱いて自嘲的、自虐的になったり、逆に賞賛や擁護する態度になったりすることがある。外国人の前で、日本が歴史上諸外国とどのようにかかわってきたかを、感情を交えずに語ることは難しいのではないだろうか。

　イギリス人は自国の歴史の負の面をなるべく冷静に捉えようとすることは前節で述べたが、誇れる歴史にも同様の態度で接する。たとえばイギリス人は第一次、第二次世界大戦にて他国の独裁政権から自国のみならず同盟した国々を守ったと考えているが、それをことさら誇るような教え方はしていない。大戦には勝ったが、その代償で数百万人もの死傷者を出したことも反省する。

勤務校では、各国の生徒が自国の、または他国の歴史について、現在の価値観では非人道的とみなされることでも表情を出さずに話すのを何度も聞いてきた。その経験で気づいたのは、過去に利害関係があった人々同士も、一方が冷静に話せば、もう一方も冷静に話を聞けるということだ。

たとえば、インド系の生徒が第二次世界大戦中の日本軍によるタイでの捕虜の扱いについて、私や日本人生徒を含む大ぜいの生徒の前で発表したことがあった。のちに映画「戦場にかける橋」の題材として有名になった史実についてだ。映画で使われた「ボギー大佐」という行進曲は日本の運動会でおなじみな曲なので知っていても、現地で何が起こっていたかは知らないという方が多いかもしれない。簡単に言うと、日本軍がタイとミャンマーを結ぶ鉄道を敷設するために過酷な労働をイギリス人をはじめとする連合国軍の捕虜や東南アジア労働者に強いた話である。労働だけでなく日本人による虐待で命を落とした捕虜や労働者は数万人にのぼるので「死の鉄道」とも呼ばれている。この戦争における捕虜の扱いは、多くの国が国際法に違反しているが、日本もその例に漏れない。発表者の祖国インドはイギリス率いる連合国軍側で日本と戦火を交えたし、発表者は日本軍による残忍な捕虜の扱いという話題を取り上げるのだから、さぞや反日の生徒だろうと思われるかもしれない。しかしその生徒は大の日本ファンである。私はそんな彼が日本への印象を悪くするような話題を選んだことに少なからずショックを受け、選んだ理由を発表の後でたずねた。すると、彼はこういった。「過去から学ぶためにこの話題を選んだ。日本は第二次世界大戦の前と後では全然違う。人間は、そして国は、これだけ変われるんだ、ということをみんなに紹介したかった。そして、日本の過ちを人類共通の教訓として生かしたいと考えた。大切なのは現在だから」。歴史を現在に生かすとはまさにこのことではないか。イギリス人生徒の一人にも発表の感想を聞いたら、「あの発表を聞いて日本を嫌いになった人はいないと思う。日本軍は残虐だったが、他の多くの国軍も残虐だった。日本の戦後の変化に驚いた」と言っていた。

話す方も聞く方も内心でどう思っていたかはわからないが、表面的には感情を抑えていた。高校生ながら自制心を働かせ、過去と現在を分けて冷静に考えていたのだろう。「その話題はできれば避けてほしい」と考え、過去に向き合っていなかったのは私だけだったようだ。その生徒の発表で、過去を忘れないということは、過去を根に持つこととは本質的に違うということに気づけた。

イギリスでは、良い教育を受けたと考えられる人たちはあまり感情的にならない。しかし彼らに感情がないわけではなく、たとえば、ひいきのサッカーチームの話をすると彼らも熱くなり、けんかに発展するときもある。しかし、少なくとも勤務校の生徒たちは、公共の場では感情をコントロールするように努力していた。イギリス人は演技をすることに慣れているので冷静な振りをしているだけだ、という批判もある。確かにそうかもしれない。しかし仮に演技だったとしても、話を荒立ててお互いに反目を煽り立てるより、冷静をよそおう方が賢いやり方に思える。

人々の声が「学ぶべき歴史」を作る

「ノッティングヒル地区の移民」についての勉強は、イギリス政府による移民、特に黒人の移民の扱いの酷さにかなりショックを受ける内容だ。試験問題の範囲はノッティングヒル地区に限定されているが、移民差別はアフリカやカリブ海からの人々に対してだけでなく、ユダヤ人やアジア人、アイルランド人などに対しても行われてきた。

移民の歴史は、ローマ時代から現在に至るまでの約２０００年間の事象を生徒全員が授業で広く浅く学ぶ。しかし、「近年の移民・人種差別問題についてもっと詳しく勉強すべき」という世論が２０１０年代に高まった。その世論の高まりを受けて教育界は２０２１年からノッティングヒル地区の移民の歴史を試験問題のオプションのひとつとして取り入れた。

この動きのきっかけになったのは、2012年にアメリカで黒人少年がヒスパニック系の自警団団員に不当に殺害され、加害者は無罪となった事件だ。この事件後に起きたブラック・ライブズ・マター（黒人の命も大事だ）運動やその後の一連のアメリカ警察による暴挙、イギリスでのウィンドラッシュ事件で、イギリスでも人種による差別問題が再燃した。ウィンドラッシュは第二次世界大戦後カリブ海諸国からの移民が乗ってきた船の名前で、詳しくは110ページを参照されたい。ウィンドラッシュ事件とは、永住許可証などを持っていない移民第一世代や第二世代からイギリス政府が社会保険を受ける権利をはく奪したり、彼らを強制送還させようとした事件だ。公的書類を彼らが持っていなかったのはイギリス政府の失策だったことを政府は問題発覚から数年たった2018年に認め、当時の首相が謝罪した。

これらの事件を受け、イギリスの歴史における黒人の役割や地位を検証しながらより正確な歴史を追究することを目的としたブラック・カリキュラムという教育課程が2019年黒人の知識層などから提案された。歴史の授業の中で、黒人はたいてい過去に奴隷だったことや差別待遇の犠牲者として登場する。しかしブラック・カリキュラムの創設者は、黒人が古代ローマの時代から移民として脈々とイギリス社会の一員になっていたことを示し、すべての生徒が「今のイギリス社会がどのようにできていったか」を把握できるようにしたいと考えている。また、事実に沿った偏りのない歴史教育を行って、生徒たちがいろいろな国や地域出身のクラスメートについてもっと理解できるように、ブラック・カリキュラムを義務教育に取り入れるべく教育界に働きかけている。その働きかけが具現化し、「ノッティングヒル地区の移民」の問題が中学修了試験のオプションの一つになり、イギリスの一部の地域の小学校では少数民族の活躍や人種差別について学ぶ授業が取り入れられた。ここから、バランスの取れた歴史の勉強を目指している教育者たちの姿がうかがわれる。

ただし黒人や少数民族が歴史の授業のテーマの一つになったからといって、どの学校でも生徒がすぐにそれを習えるわけではない。歴史の教員がそのテーマについて勉強する時間が足りず教えられない場合がある。また、通常イギリスでは学校が教科書を買って生徒に貸与するので、新しい教科書をそろえる費用が調達できない学校もあるだろう。しかし、テーマ学習のオプションとして近年の移民問題や人種差別問題が加わったことで、そのテーマに興味を持つ生徒は増えるはずだ。

ノッティングヒルの移民に関する試験は、第二次世界大戦後から引きずっている社会問題だけでなく近年新たに加わった社会問題を含み、今考えるべきことや未来のために解決すべきことは何かを問いかける。試験内容が、記憶にとどめるべき事実をおさえつつ変わりゆく状況にも柔軟に適応していると言えるだろう。

人々の声に耳を傾け、過去に向き合うことで新たな反目を生じさせる可能性はあるが、「寝た子を起こすな」という態度ではなく、過去を理解した上で将来を考えていく、という態度につながることを政府や教育者は期しているのだろう。

歴史とともに生きる日常生活

よく知られているようにイギリスでは演劇が盛んで、幼稚園生のときから熱心に劇の稽古をする。小学校でも授業に取り入れられている。演劇は中学修了試験や大学入学共通試験の選択科目にもなっていて、俳優を目指す子どもも多いし、演劇に力を入れている学校も多い。

演劇は、チームワークを育てるという効果もあるが、それはスポーツや合奏・合唱など他の分野でも育てられる。演劇だけが持つ優れた特徴は、生徒が登場人物、つまり他人になりきって、その人ならどう感じたか、どう思ったかを考える機会を得られる点だ。ここに他人の気持ちや立場を理解できるよう想像力を働かせるという教育効果がある。

イギリスの学校の演劇は日本の学校でのそれとちがい、本格的だ。私の勤務校でも古典劇から現代劇までほぼ毎月生徒による演劇があった。古典劇の場合、現在の価値観に照らせば人種差別的な発言や配役は必ずと言ってよいほど出てくる。

たとえばシェークスピアの作品には黒人の召使や下僕と邪悪なユダヤ人がよく登場する。私はハロウ校に在籍中、他の学校での劇も含め、50回くらい生徒による劇を見た。基本的に配役は原書に忠実で、白人の登場人物は白人の生徒が、黒人の登場人物は黒人の生徒が演じていた。白人の生徒、黒人の生徒、それ以外の生徒にもいろいろな思いが交錯し、内心おだやかではないだろうと思った。ユダヤ人や黒人は先祖の同胞が受けた仕打ちに悔しい思いをしているかもしれない。

20世紀前後に作られた劇には、インド人や中国人などアジア人の召使も出てくる。アジア人の生徒にとってはおもしろくないだろう。それでも、生徒は自分の役に没入して、作品をリアルに再現しようと努める。配役について文句を言う人はいないし、「人種差別」だと言って劇を中止させようとする動きもない。劇は過去の作品であり、生徒は作中の登場人物を演じているだけで、現実と作中の世界を混同しない。

生徒の演劇を見始めた当初、私もアジア人のひとりとして、有色人種が白人の下働きをしているのを見るのはあまり愉快ではなかった。しかし、次第にこう思うようになった。「演じている黒人やアジア人たちは屈辱的に思うかもしれない。でも、白人たちも自分たちの祖先の言動にずっと向き合わされているのだ」と。古い時代の劇をするとき、イギリス人はいつも過去を背負う。そして、自分たち以外の国の人が自分たちをどう思っているかを考えさせられるだろう。

古い時代の劇では、イギリス人が有色人種やユダヤ人を虐待するだけではない。自国民の間でも、女性が性差別を受ける姿、上流階級の人が階級の下の人や囚人に対してひどい仕打ちをする姿が再現されることがある。現在よりもはるかに厳しい階級社会の中で上流階級がしてきたこと、一般庶民がされたことを生徒たちは演劇の中で再確認し、それを淡々と受け止める。学校や生徒は、最近作られた劇を演じても構わない。それなら階級差別や性差別の表現はほとんどない。それなのに、自分たちが歴史上犯した行為が現れる劇、自分の恥をさらすような劇を公共の場で見せるイギリス人たちを見て、私は感服した。

自分たちが反道徳的なことをされた被害者であるときは、劇や映画でそれを再現するのにあまり抵抗はない。しかし自分が加害者側であるとき、それが題材になった劇や映画を人に見せられるだろうか。いや、そもそも作れるだろうか。

歴史を改ざんしない。そして隠さない。歴史が描かれた後に、その内容が自分や自国にとって不利になっても、である。この姿勢は、諸外国の人々と付き合うとき、または同じ国民同士でも立場の違う人と付き合うとき、信頼を構築していく上で欠かせないだろう。

ロンドンオリンピック・パラリンピックのレガシー（遺産）

有形・無形のレガシー（遺産）を多く残した２０１２年のロンドンオリンピック・パラ

リンピックは、史上最も環境に配慮し持続可能性を追求したオリンピック・パラリンピックだと評価されている。また、大会の施設も、大会後に市民に有効利用され、新たな雇用も生み出すなど、大きな経済効果をあげている。

もちろんプラスのレガシーだけではなく負のレガシーも少なからずあるが、総じて成功した大会だと言ってよいと思う。

レガシーは、大会後長きにわたり人々の社会生活に寄与する有形・無形の財産だ。レガシーは5つの分野すなわちスポーツ、社会、環境、都市、経済に分けられるが、2012年に大会を開催するにあたり、ロンドンがもっとも力を入れたのは都市開発、具体的には開催地域となる東ロンドンの再開発だった。瀟洒（しょうしゃ）なデパートや繁華街が連なる西ロンドンと違い、東ロンドンは犯罪がはびこる貧困地区として悪名高かったのだ。しかし東ロンドンの再開発は、ロンドンが大会開催地に決定した2005年にはすでに計画されていた。この再開発計画は大会決定のおかげで大きな資金を得て、実行が加速された。当初からの長期の計画が奏功したと言える。ロンドン大会では新設される主な施設が開会にじゅうぶん間に合うように作られていた。これはタイムマネージメントがうまく機能していたことを物語っている。

それまでのオリンピックでは大会後に敷地や施設が荒廃するケースが多々見られたが、ロンドン大会では、大会のために整備された土地や新たに作られた建造物を大会後にどう使用するかという計画がほぼできていた。東ロンドンの会場周辺は巨大な公園に生まれ変わり、美しい芝生の中に小川が流れる市民の憩いの場となった。それだけでなく湿地や森林地帯も作り、多様な生物の生態系を守る取り組みもなされている。広々とした美しいショッピングモールは今でも人気を保ち、抜群の集客力を誇っている。また、大会で新設されたスタジアムやトレーニング施設、練習施設などのほとんどは普段は一般に開放されており、ときどきプロ選手の国際スポーツ試合も行われるなど、有効に使われている。たとえば2012年に日本人水泳選手が大活躍したアクアティクス・センターは、現在、学校生徒による水泳大会が頻繁に開かれており、私も生徒の応援に赴いていた。

環境対策でも、二酸化炭素排出を減らし代替エネルギーの使用を促進するなど、その後のオリンピックのモデルとなった。また、選手や関係者のために200台の電気自動車を用意し、充電スタンドも併せて新設したが、そのスタンドはのちの充電スタンドネットワークの拠点となった。環境に優しい都市づくりを進めるために、歩道や自転車道も大会後まもなく整備された。

文化面でも大会の会期中はイギリス全土の千か所を超える場所で1万3000のイベントが開催され、世界中から集まった数万人の芸術家がいくつもの恒久的な芸術作品を残した。また、大会跡地には大学やメディア、ファッション業界や美術館などが複合的に入る施設などができ、一大文化発信地となった。

言うまでもなく、大会は失業率を減らし、雇用を増やすなどいくつもの経済効果を生み、大会翌年の発表では3000万ポンドの黒字となった。

ただし良いことばかりではない。大会のために作ったモニュメントの維持費が巨額であることや、大会後に期待していたほど国民のスポーツ人口が増えなかったという誤算などがあげられるが、特に住居に関してはいまだ問題も多い。大会後10年を経た2022年までに大会周辺地域に1万戸以上の住宅が生まれているが、もともとその周辺に住んでいた人々が購入できる価格ではなく、手が届く価格の住宅を待っている家族が7万5000もあるという。しかしロンドンレガシー開発公社は新たな住宅の建設を予定しており、住居問題は少しずつではあるが解決に向かっているようだ。

コロナ禍に見舞われ、延期や無観客試合を余儀なくされた東京大会はイギリスの大会と同じ土壌で比較できないが、大会後のオリンピック設備の利用が進まず巨額の赤字を出し続けている実態は、計画の段階で将来を見通す考えが足りなかったことに起因するだろう。東日本大震災で被災した地域の復興も東京オリンピック理念の一つとして招致のときに盛んに叫ばれたが、実際はあまりそれを意識できる大会ではなかった。これも政策が首尾一貫していなかったことを物語っている。

かたや、五輪開催前は人が寄り付かなかった東ロンドンは、今や人気スポットとなった。商業的な成功にも目を見張るものがあるが、私が何より尊いと感じたのはイギリス人たちの自信だった。大会の計画者や運営者の先見の明やリーダーシップもたいしたものだが、それを支えた一般企業の人々もボランティアも、誰もが何をすべきかをそれぞれ考えて行動しなければ成功の栄光は得られなかったと思う。大会を成功させ、その後も跡地が発展を続けたことで人々が得た自信は、その後長く彼ら自身と国を支えるはずだ。

歴史の勉強により過去の情報を満遍なく集めそれを分析することや、長いスパンでものごとを考える習慣がついていることが、大会成功に寄与しただろう。大会施設や会場は過去の大会の失敗を繰り返さず、はるか先の未来まで考えを巡らせて計画されていた。

ウィンストン・チャーチル
イギリス人が尊敬する政治リーダー

最後に、ウィンストン・チャーチルの例を取り上げたい。チャーチルは「イギリス人がもっとも尊敬するイギリス人」というアンケートでたいてい1位を獲得する政治家で文筆家だ。１９４９年に彼は『彼らの最良の時：第二次世界大戦（Their Finest Hour: The Second World War）』を著した。これについて、『１９８４年』など卓越した作品を量産した作家ジョージ・オーウェルが１９４９年に書いた書評の中で、チャーチルをこう評している。

ウィンストン・チャーチルに対して公正な言い方をすれば、彼が折にふれて出版してきた政治的回想録は、文学性においても率直さにおいても、常に抜群のものであった。チャーチルは多才な人だが、とりわけ非常に識別力のある文学的感受性ではないにしても、文学に対する真の感受性をもったジャーナリストである。そればかりか、不断の探求心があって、具体的事実にも、動機（ときには彼自身の動機も含まれている）の分析にも関心を持っているのである。一般にチャーチルの書くものは、公人というよりむしろひとりの人間の作品である。本書にはもちろん、選挙演説の草稿からもれ出たように見せかけてある文章も散見されるが、かなり自発的に誤りを認めようとする態度も見られる。

〔省略〕

チャーチルは、彼自身も認めているように、最近の戦争技術の変化の効果を見くびっていたが、一九四〇年に襲撃が始まると、すばやく反応を示した。彼の大きな功績といえば、ダンケルク（の戦い）の時でも、フランス軍の敗北を悟り、イギリス軍が外見とは違って敗北していないのを理解したことである。しかもこの最終的判断は、単にけんか好きな気持に基づいたものではなく、冷静な状況調査に基づいたものであった。

〔省略〕

彼のなかにある勇気ばかりでなく、度量の大きさと温情は、たたえなければならない。

〔省略〕

イギリス国民はおおむね彼の政策を拒否したが、彼に対しては常に好意を持っていた。

（『オーウェル著作集Ⅳ　１９４５－１９５０』平凡社　より引用）

第二次世界大戦でイギリスを勝利に導いた政治家として名高いチャーチルは、１９４５年５月に勝利宣言で国民から圧倒的な支持を得た。しかし終戦後は、窮乏した国民のための社会政策を打ち出した労働党によりすぐに首相の座から降ろされた。この一連の事実は、イギリス人が過去の実績や期待感だけでものごとを判断せず、結果や効果を考えるという現実的なバランス感覚を持っていることを示す例として有名である。ちなみにチャーチルは１９５１年に首相に返り咲いている。

政治家として成功も失敗も多かったチャーチル。感情的にならず冷静に現実を捉え、よく議論する。過去から学ぶが過去にとらわれない。失敗したらそれを認める。だが打たれ強い。簡単には失敗に屈せず前を向く。記録を残し、活用する。人々の行動の動機、つまり原因を追求する。多趣味で若い頃から読書やポロを好んだが、私生活でも邸宅で我が子たちと遊んだり、造園をしたり、レンガ積みをしたり、絵を描いたり、動物の飼育をしたりと多種多様なことを楽しんだ。忙しい公務の合間によくこれだけのことができたと思う。そして仕事をする時は集中した。彼の思考、行動と態度はリーダーシップの好例としてよく引用されている。

もちろん組織のリーダーになるには、仲間への勇気や思いやり、組織に対する責任感、不測の事態への対応力など、机上の勉強だけでは育てられない心構えや能力が多々ある。しかし、歴史を勉強することで、複合的に考える力がつき、精神を鍛え、ひいてはリーダーシップを取るために欠かせないいくつかの能力を身につけていけるだろう。

おわりに

新型コロナが流行し始めた頃、私は約10年振りに日本での生活を始めた。外出がままならず、家にいる時間が長かったこともあり、何か自分の経験を生かせる資格を取ろうと思い立った。そして外国人が来日したときに役立つであろう通訳案内士試験のための準備を始めた。その試験には日本史、地理、一般常識などの一次試験の他、二次試験として外国語での面接試験があるが、一次試験はすべてマークシートで、記憶力を試す試験である。長らく日本式の試験から離れていたので久々にマークシート問題に対面した。それをやりながら、子どもたちにはこれを勉強だと思わないでほしい、と強く感じた。

通訳案内士試験の日本史に、明治政府と戦った榎本武揚について4つの選択肢から正解を選ぶ問題があった。「五稜郭の戦い後、自刃した」、「幕府陸軍奉行の任にあった」などは間違いで、正解は「五稜郭の戦い後、明治政府の役人になった」だったが、外国人の観光案内をする際、こんな枝葉末節を知っていて役に立つことがあるだろうか。外国人旅行客がそれを知りたがるだろうか。

通訳案内士資格習得のための勉強では役に立つ知識もたくさん得られたし、二次試験の面接では「旅行中に急なトラブルが起こった時、あなたはどのような対応をするか」など受験者の思考力を問う良問があった。しかし、一次試験では右記のような問題が多くてがっかりした。

私が国内外で外国人によく聞かれたのは、観光地や偉人の情報ではない。それらはネット上で情報が簡単に得られる。外国人が興味を持っていたのは、日本人の考え方や行動基準だ。簡単に言い直すと、外国人は彼らにとっては謎めいた日本人の行動をいろいろな場面で見て「どうしてそんなことをするの？」と聞いてくる。このような質問には、人名や地名をたくさん知っていたとしても答えられない。日本人の考えや行動のもとになっている道徳観や宗教観、風土、習慣などをある程度の長さで説明する必要がある。だから、もし通訳案内士試験をイギリスの中学修了試験や国際バカロレアの歴史の試験のように作り直すとしたら、次のようになるだろう。

「日本に初めて来た外国人旅行者に「日本人はなぜお寺でも神社でも祈るのか」と聞かれました。あなたはこの質問にどう答えますか。6世紀ぐらいから現在までの歴史的経緯を視野に入れて答えなさい」

「来日した観光客が「日本の伝統文化は失われつつあると聞いている」と言っています。あなたはこの意見にどう答えますか。」

このような問題を3～5ページぐらいの分量で記述する訓練をすれば、好奇心旺盛な外国人の質問に対応する力が養われるだろう。しかし実際に出題されている問題は、「外国人が知りたいことは何か」、「知りたいことにどうやって答えるか」を考える視点が抜け落ちていた。

第二次世界大戦後に全国の学校で導入された学習方法により、日本人の標準的な学力は高くなった。それは世界的にも賞賛されている。一方、考える力があまり育たないことがわかり、現在は思考力・判断力・表現力の育成を重視するようになった。しかし、これらの力を養う教育にシフトしようと声高に叫んでいるわりには、生徒たちの学力を測る試験は相変わらずほぼ選択肢問題のようである。大人が受ける試験にしても、資格試験は種類が増え続けているが基本的にマークシート方式である。これでは考える力は育たない。

まず必要なのは考えることが当たり前になる環境を作ることだ。もし誰もその環境を作ってくれないなら、自分で作ってみる。それを手助けしてくれるのが歴史だ。歴史の学び方は本書で書いた「考える手がかり」を参照していただきたい。歴史は暗記科目ではなく考えることを学ぶ科目で、考える材料を無限に提供してくれる。歴史はさらに、考えることは楽しいということに気づかせてくれる科目だ。考えることで、はるか昔の歴史も、遠く離れた地域や国の歴史も急に身近になり、自分の中に知識や考え方が取り込まれていく。

考えるための材料は歴史の中だけでなく、身近にもころがっている。日々のニュースでも、ふと目にとまった文章でも、友人との会話内容でも、あるいは電車の中で聞こえてくる他人の会話でも、なんでも使える。それを第四章で紹介したスキルを使って考えてみる。それによって考える力が身に付いていけば、他者の視点や多様性を鑑み、集中力や自制心を養い、表現力や問を立てる力もおのずと備わってくる。たとえば、自分と違う意見の人とぶつかって問題が生じたとき、なぜ相手は自分と同じように考えないのか、について相手の考えに影響を与えた要因について考える。また、なぜ自分はそう考えるかについて、自分自身の考えが形成されてきた経緯を冷静に振り返る。そうやって、相手との意見の違いの原因を認識したら、それを相手にわかりやすく説明し、相手の話を聞きながら解決を目指していく。

本書ではイギリスの歴史勉強法を取り上げたが、イギリス人がみな考える力をつけているわけではない。紹介した勉強法を適切に実行したら考える力がつくのであって、教育の機会がじゅうぶんに整わずその効果を享受できない人たちもいる。しかし、日本人とは大きく隔たる方法で適切に歴史を学んだ人たちは確実に存在する。その人たちと私たちの間には、その後の人生にどのような差が生まれてくるかについて、考えを巡らせてほしい。

世界には、考える力をつける良い勉強法を実施している国が他にもたくさんあるだろう。それでもイギリスの勉強法は注目に値すると思う。なぜならイギリスには大学のみならず小・中学校のレベルから当地で学ぶために世界中から子どもが集まって来るからだ。筆者はイギリスで教育に関わり、外国人生徒の多さを知って驚いた。この人気の理由は、英語力を養うことや、マナーを身につけることだけではないだろう。イギリスの教育、つまり未来を見据えて決断をし行動を起こす礎となる「考える力」を培う教育に魅力を感じていることも要因だと考えられる。現に、同国で基礎教育を受けた人々が世界各国にて政治や経済のみならず、医学や娯楽など様々な分野で活躍しているのがこの教育の効果を証明しているといえる。

私たち日本人は勤勉、辛抱強い、努力ができるなど、誇れる資質や能力をいくらでも持っている。それに「考える力」が加われば、建設的な日本の未来を、世界の未来を、創り出していけるだろう。

なお、本書を出版するに際し、イギリスで学んだ方々やその保護者の方々、特に森下台賀君と立石麻美子さんから貴重な体験談をいただいた。歴史の授業ノートの写真は立石哲朗君、卓巳君に提供していただいた。また、自由国民社編集局長の竹内尚志氏には多大なご尽力をいただいた。これらすべての方々と、常にあたたかく支えてくれる家族に心より感謝を申し上げて、筆をおきたい。

2023年9月吉日

松原 直美

付録　日本の歴史をイギリス式にとらえなおす練習問題

イギリスの歴史試験で出題された問題をたくさん見てきたが、その形態を「日本史」にもあてはめたらどんな問題ができるだろうか。

①近現代史

テーマ：日本をめぐる人の流れ

・20世紀初頭に日本からブラジルへ移住した人々を調べるのに情報源Aと情報源Bはどう役に立つか。情報源A、情報源Bと歴史的文脈に関して自分で得た知識を用いながら、あなたの答えを説明しなさい。

情報源A

1917年に大蔵省（当時）や外務省の後押しをうけて設立された海外興業株式会社のポスター。海外への移民のあっせんや南米での開拓事業を請け負っていた。

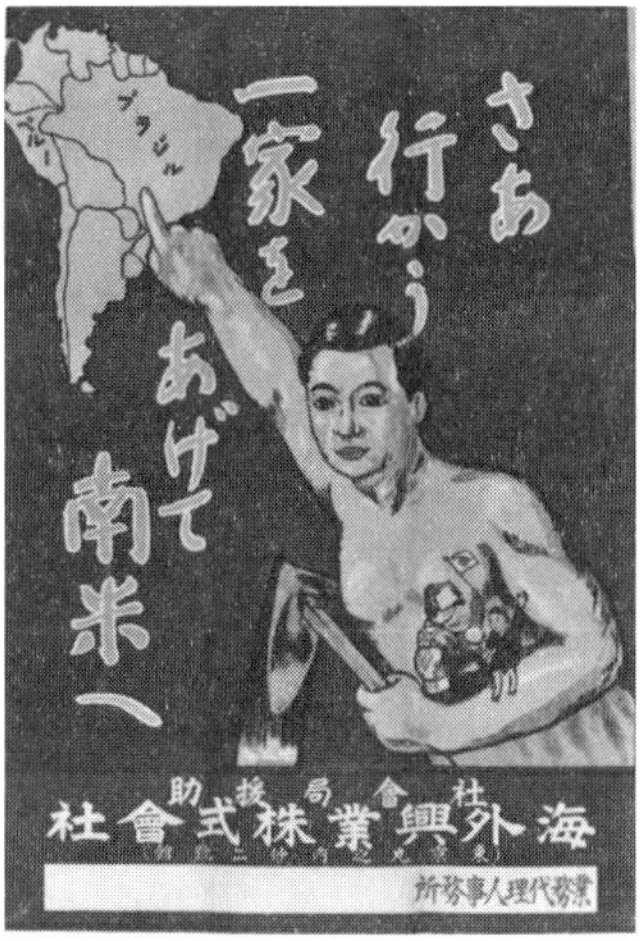

（所蔵：外務省外交史料館）

情報源B

「自分達は食って行く丈なら日本にゐてもやって行ける。親を泣かせてまで伯国三界（ぶらじる）まで来はせぬ、奴隷同様に働いて未だ日収八百レース（邦貨四十銭）ではどうしても働けぬ」（萍花生「邦人発展の恩人　上塚周平氏訪問記」『伯剌西爾（ブラジル）時報』昭和3（1928）年6月22日10ページより）

・明治時代に始まった日本人の北米や中南米への流出と2000年代以降の日本への外国人流入はどんな点が似ているか。

・からゆきさん（江戸時代末から大正時代にかけて日本から主に東南アジアに出稼ぎに

行った女性）とじゃぱゆきさん（1980年代に主に東南アジアから日本に出稼ぎに来た女性）はどんな点が似ているか。
・1980年代から日本への労働者が増えたのはなぜか。
・1980年代の外国人労働者は主にどこから来たか、それはなぜか。
・「1980年代に多くの外国人労働者が来たことは、日本社会に大きな影響を与えた」。あなたはこの意見にどのくらい賛成するか。

テーマ：明治時代

・1895年に大日本帝国に併合した台湾と、1910年に併合した大韓帝国における日本政府の統治の違いを説明しなさい。
・明治政府による沖縄県と北海道の統治の似ている点と違う点を説明しなさい。
・「識字率が高くなったのは明治政府が出した学制のおかげである」。あなたはこの意見にどのくらい賛成するか。

テーマ：昭和時代前半

・世界恐慌が日本の国際関係に与えた影響を説明しなさい。
・太平洋戦争はそれ以前の戦争と比べて、なぜ人々の生活を大きく変えたか。自分で探した情報を使って説明しなさい。以下の言葉を答えに含めても良い。

―徴兵制度
―疎開

②通史問題

テーマ：日本の医学の歴史

・仏教伝来以前と仏教伝来以降で医学はどのように変化したか。
・16世紀頃の医学が進展した理由を説明しなさい。
・「杉田玄白が、正確な翻訳を期する前野良沢の意見をおさえ、不十分な翻訳であることを承知しながらターヘルアナトミアの出版を急いだのは適切な判断である」。あなたはこの意見にどのくらい賛成するか。

テーマ：交通の発展

・江戸時代の箱根の関所の特徴を二つ書きなさい。
・「街道は、古来より宗教的な目的よりも軍事的な目的で発展した」。あなたはこの意見にどのくらい賛成するか。歴史的文脈に関して自分で得た知識を用いながら、あなたの考えを説明しなさい。以下の言葉を答えに含めても良い。
―伊勢神宮
―参勤交代

資料　歴史試験の問題いろいろ

1. 第三章の①一つのテーマを、短期から中期（10〜50年）にわたり深堀りする問題には他にどんなものがあるか

第三章①では「毛沢東の中国」をテーマにした問題を紹介したが、近代史には多数の問題オプションが用意されている。この時期は世界史上重要なできごとがたくさんあり、生徒の興味の矛先も多岐にわたるからだろう。「毛沢東の中国」をオプション1とすると他に8つのオプションがあり、それらの2018年試験の概略は以下の通り。

オプション2：第一次世界大戦と、それまでの道のり［1894年〜1918年］

ドイツのヴィルヘルム二世が全ヨーロッパや北アフリカを支配下にしようとする行動が多国を巻き込む第一次世界大戦の大きな原因となった。その大戦の終結までを取り上げる。資料として、イギリス人が書いたヴィルヘルム二世の風刺画、セルビアの皇太子が暗殺された後にオーストリア・ハンガリー帝国で印刷されたセルビアの壊滅を謳った絵葉書、オ

ーストリア・ハンガリー帝国軍首脳が開戦を政府に勧める文章などが載っている。問題には、１９０５年〜１９０６年のモロッコ事件はなぜ国際間の危機に発展したか、海戦でのドイツ軍の敗戦が戦争終結にどのように影響したかを問うものなどがある。

オプション３：ロシアとソビエト連邦［１９１７年〜１９４１年］

世界史上初の社会主義政権が生まれるきっかけとなったロシア革命が起きた１９１７年から、第二次世界大戦中までを扱う。資料として、集団農場化反対を訴えた農民による１９２９年の記事と、１９１７年に起きた二月革命後に成立した臨時政府に関する見解を述べた記事などが載っている。問題には、臨時政府が抱えていた課題、スターリンが１９３０年代に大粛清をした理由を問うものなどがある。

オプション４：ドイツのワイマール共和国とナチス［１９１８年〜１９３９年］

第一次世界大戦後、ドイツが再軍備に至る過程を扱う。資料として、１９３６年にベルリンで行われた夏のオリンピック大会を取材したアメリカ人による記事、ワイマール共和国に関する見解を述べた記事などが載っている。問題には、１９３３年から１９３９年にかけてナチスが国内の失業率を下げることができた理由、ワイマール共和国による１９２０年代初期のインフレへの対応について問うものなどがある。

オプション5：戦間期のヨーロッパ諸国［1918年～1939年］
第一次世界大戦後、フランス首相クレメンソーは敗戦国ドイツへ厳しい条件をつきつけた。資料として、ドイツの新聞に載ったクレメンソーの風刺画、イギリスの新聞に載った国際連盟を揶揄する風刺画、イギリスの経済学者によるベルサイユ条約への懐疑を呈する文章などが載っている。問題には、戦勝国のベルサイユ条約に対する態度を問うものなどがある。

オプション6：東西冷戦［1945年～1972年］
第二次世界大戦終結以降敵対関係となった米ソ関係の緊張と緩和の歴史を1972年まで追う。資料として、宇宙開発の先駆者としてソ連を称えるポスター、マーシャルプランを推進するために西ヨーロッパ諸国で印刷されたポスター、共産主義を抑え込もうとするジョージ・マーシャルの宣言文が載っている。問題には、1956年のハンガリー動乱が国際的に巻き起こした危機について説明する問題、1960年代の東西ヨーロッパの緊張の原因について問うものなどがある。

オプション7：アジアでの緊張と衝突［1950年～1975年］
米ソの対立がアジアへ拡大し、アジアがその代理戦争の場になった1950年からベトナム戦争終結までを扱う。資料として、自国と朝鮮半島をアメリカから守ろうと呼びかける朝鮮戦争下の中国のポスター、膠着したベトナム戦争下のニクソン大統領を揶揄するアメリカ人による風刺画、ベトナムとの和平交渉について国民に説明するニクソン大統領の宣言文が載っている。問題には、1950年に朝鮮戦争での南北の衝突が巻き起こした国際的な危機、ベトナム戦争で北部の軍隊が成功した理由を問うものなどがある。

オプション8：アメリカ合衆国における国内・国外での衝突［1954年〜1975年］
アフリカ系アメリカ人が人種差別や暴力を無くすことや自由や平等を求めて公民権運動を始めた頃から、ベトナム戦争終結までを扱う。資料として、1960年代に組織されたブラック・パンサーの元リーダーたちが書いた手記、ベトナム戦争におけるテト攻勢を取材していたイギリス人記者による記事、アメリカ兵に連行されるベトナム人の写真が載っている。問題には、モンゴメリー・バス・ボイコット事件が公民権運動として成功した理由、ベトナム戦争におけるテト攻勢の影響を問うものなどがある。

オプション9：湾岸諸国とアフガニスタン［1990年〜2009年］
1980年代のイラン・イラク戦争でこじれた国際関係がもとで1990年にイラクがクウェートに侵攻、これが湾岸戦争に発展した。2003年にはアメリカがイラクに攻撃したことでイラク戦争がはじまり、アメリカが自国の非を2009年に認めた。この時期に生じた新たな国際緊張を扱う。資料として、1990年代にバグダッドで書かれたサダム・フセインを賛美する壁画、２００９年にアメリカの新聞に載ったジョージ・W・ブッシュを揶揄する漫画の一コマ、イラクが大量破壊兵器を隠し持っているとして２００３年にイラク戦争を始めたジョージ・W・ブッシュによる同年3月のスピーチが載っている。問題には、サダム・フセインのクウェート侵攻が国際的な危機になった経緯や、アル・カイーダのテロ活動の主要目的などを問うものなどがある。

2. 第三章の②一つのテーマを、長期（約1000年）にわたり追う問題には他にどんなものがあるか

本書で紹介した「イギリスの医学の歴史」をオプション1とすると他に三つのオプションがある。２０１８年試験の概略は以下の通り。

オプション2：イギリスにおける犯罪と刑罰［１０００年頃〜現在まで］

１５００年頃から１７００年頃までの刑罰の性質は、１９００年頃から現在までの刑罰の性質とどのように違うかを問う問題、１０００年頃から１７００年頃までの教会や王室、貴族といった権威に対する犯罪の定義を問う問題がある。また、「この意見にどの程度賛成するか」という問題では、「１５００年頃から１７００年頃、魔女狩りの数が増えたのは宗教が主な原因であるか」と「公開処刑は１５００年頃から１９００年頃、刑罰制度を特徴

づける重要な位置を占めていたか」が論点となっている。

オプション３：戦争とイギリスの社会［１２５０年頃〜現在まで］

中世の戦争における馬に乗って武装した騎士の役割と、現代の戦争における戦車の役割の類似点を説明する問題、一般人に対する戦争の影響は１９００年から現在までの間になぜ変わったかを問う問題がある。また、「この意見にどの程度賛成するか」という問題では、「１２５０年から１７００年の間に兵士の募集や訓練の方法が変わった主な理由は、新しい武器が開発されたからか」と「１７００年から１９００年までの間、戦争の性質はほとんど変わらなかったか」が論点となっている。

オプション４：イギリスの移民［８００年頃〜現在まで］

17世紀にユグノー（注：プロテスタントのフランス人キリスト教徒）移民を取り巻く状況と20世紀のアジア人移民を取り巻く状況の違いを問う問題、イギリスへの移民が18世紀と19世紀に増えた理由を問う問題がある。また、「この意見にどの程度賛成するか」という問題では、「中世において、イギリスへの移民がもたらした最も重要な変化は文化に影響を与えたことか」と「イギリスへの移民は１７９９年頃から現在の間に大いに変わったか」が論点となっている。

3. 第三章の③イギリス国内の社会問題には他にどんなものがあるか

本書で紹介した「ノッティングヒル地区の移民：1948年頃から1970年頃まで」をオプション1とすると、他に三つのオプションがある。2018年試験の概略は以下の通り。

オプション2：「ホワイトチャペルにおける犯罪、治安維持、スラム［1870年頃〜1900年頃］

これは通史問題「イギリスにおける犯罪と刑罰」とペアになっている問題だ。ホワイトチャペルとはロンドン北東の河岸に位置する地域。ヨーロッパ大陸からのユダヤ教移民やアイルランド人移民が多数集住した。現在では再開発が進み、当時の面影は消えつつあるが、1900年前後は人種差別が横行する貧困と犯罪の巣窟だった。

資料として、ホワイトチャペルに住み着いたユダヤ教徒が集まる救護施設で簡素な食事をとっているロシア人ユダヤ教徒たちの絵と、過酷な環境下で働く移民たちについて書いた記事が示される。問題には、ホワイトチャペルにあった救貧院の生活の特徴を問うものや移民たちを取り巻く難題を掘り下げるものなどがある。

オプション3：第一次世界大戦における西部戦線での負傷、治療、塹壕［1914年〜

1918年」

これは通史問題「イギリスの医学の歴史」とペアになっている問題だ。

第一次世界大戦は、イギリスにとってはじめての総力戦であり志願兵を含む多くの国民と植民地の人々を失い、政治的にも社会的にも甚大な衝撃を与えた戦争である。

資料として、前線の負傷兵の手当てをする看護師たちの写真と、野戦病院の惨状を訴える看護師の手記が載っている。問題には、第一次世界大戦での輸血の特徴を問うもの、戦傷者の手当てについて掘り下げるものなどがある。


オプション4：ロンドンと第二次世界大戦［1939年～1945年」

これは通史問題「戦争とイギリスの社会」とペアになっている問題だ。

第二次世界大戦ではイギリスは戦勝国になったものの、戦中は敵国から多大な被害を受けた。しかし疲弊した社会の中で人々は団結し冷静さを保とうとしていた。

史料として、ドイツの激しい空襲で家を破壊され隣人に助けられた人の手記、空襲で壊れた家々の修理にあたるボランティアの職人グループの写真がある。問題には、ロンドンからの疎開の特徴、爆撃の影響が人々の日々の生活にどのような影響を与えていたかを問うものなどがある。


この他、本書では取り上げないが、中学修了試験では「イギリスの中世や近世を深掘りする問題」、「世界史上の重要事項を50年ほどの期間で概観する問題」がある。後者のテーマには、1500年前後のスペインによるカリブ海や南米への入植、フランス革命、アメリカ独立戦争、アラブ−イスラエル間の中東戦争などがある。言うまでもなく、問題のスタイルは第三章で紹介した問題と同じだ。

なお、中学修了試験の問題は教育省が作成するのではなく、いくつかの機関が作成している。通常、各学校では科目によってどの機関の試験を採用するかを選択する。本章ではその代表的な3機関すなわちピアソン・エデクセル社（Pearson Edexcel）、エー・キューー・エー（Assessment and Qualifications Alliance　略称AQA）、オー・シー・アールイグザミネーションズ（Oxford, Cambridge and RSA Examinations　略称OCR）の試験を参照した。これらの試験内容はほぼ同じである。また、第一章ではピアソン・エデクセル社作成の試験を紹介した。

引用文献

○ D. カーネギー（山口博訳）（2012）『人を動かす』文庫版 創元社

○ E.B. ゼックミスタ／J.E. ジョンソン（宮元博章他訳）（1997）『クリティカルシンキング 実践篇』北大路書房

○阿部謹也（2000）『阿部謹也著作集 7』筑摩書房

○坂口満宏（2010）「誰が移民を送り出したのか―環太平洋における日本人の国際移動・概観」『立命館言語文化研究』21 巻 4 号

○佐藤直樹／ジョゼフィーヌ・ガリポン監修（2013）『パスツールと微生物』丸善出版

○ジョージ・オーウェル（岡崎康一他訳）（1971）『オーウェル著作集 IV 1945 - 1950』平凡社

○スティーブン・コヴィー（フランクリン・コヴィー・ジャパン訳）（2014）『完訳 7つの習慣 人格主義の回復』キングベアー出版

○スティーブン・マーフィ重松（2019）『スタンフォード式 最高のリーダーシップ』サンマーク出版

○トレバー・レゲット（1983）『紳士道と武士道 日英比較文化論 新版』サイマル出版会

○ハーバード・ビジネス・レビュー編集部編（2021）『リーダーシップの教科書2実践編』

○パストゥール（山口誠三郎訳）（1970）『自然発生説の検討』岩波書店

○長谷川修一／小澤実編著（2018）『歴史学者と読む高校世界史―教科書記述の裏舞台』勁草書房

○ピエール・ダニノス（堀口大學訳）（1958）『見るもの 食うもの 愛するもの ―へそ曲りの英米探訪ー』新潮社

○藤原正彦（2018）『国家と教養』新潮社
○松原直美（2019）『英国名門校の流儀 一流の人材をどう育てるか』新潮社
○ミカエル・ライリー／ジェイミー・バイロン／クリストファー・カルピン（前川一郎訳）（2012）『イギリス中学校歴史教科書 イギリスの歴史【帝国の衝撃】世界の教科書シリーズ 14』明石書店
○茂木健一郎（2016）『最高の結果を引き出す質問力』河出書房新社
○山之内靖編（1993）『岩波講座 社会科学の方法 第ＩＸ巻 歴史への問い／歴史からの問い』岩波書店
○湯之上隆／久木田直江（2011）『くすりの小箱―薬と医療の文化史―』静岡大学人文学部研究叢書 25
○ロナルド・A・ハイフェッツ／マーティ・リンスキー／アレクサンダー・グラショウ（水上雅人訳）（2017）『最難関のリーダーシップ 変革をやり遂げる意志とスキル』英治出版
○ Anderson, Chloe et.al(2016). *GCSE Edexcel History For the Grade 9-1 Course.* Coordination Group Publications Ltd, Newcastle upon Tyne
○ Jolliffe, Wendy and Waugh, David (2018). *Mastering Primary English.* Bloomsbury Publishing Plc, London
○ The week Junior, Issue 310, 20 November Future Publishing Limited 2021

ウェブサイト

○イギリス議会下院 コロナウイルス：今日までの教訓、2021年10月
https://committees.parliament.uk/committee/81/health-and-social-care-committee/news/157991/coronavirus-lessons-learned-to-date-report-published/
○イギリス教育省 16～18歳の進路統計
https://www.gov.uk/government/collections/statistics-destinations
○イギリス教育省 歴史カリキュラム説明
https://www.gov.uk/government/publications/gcse-history
○イギリス試験供給機関 Pearson（ピアソン）過去問題
https://qualifications.pearson.com/en/support/support-topics/exams/past-papers.html
○イギリス私立学校校長会議
https://www.hmc.org.uk/about-hmc/why-choose-a-hmc-school/smaller-class-sizes/
○イギリス政府 教育統計
https://explore-education-statistics.service.gov.uk/find-statistics/school-workforce-in-england
○イギリス政府 中学修了試験受験者統計
https://www.gov.uk/government/statistics/provisional-entries-for-gcse-as-and-a-level-summer-2021-exam-series/provisional-entries-for-gcse-as-and-a-level-summer-2021-exam-series
○英国放送協会（BBC）ロンドンオリンピック：聖火点灯から10年
https://www.bbc.com/news/uk-england-london-60751856

○オックスフォード大学アドミッションオフィス
https://www.ox.ac.uk/admissions/undergraduate/courses/course-listing/philosophy-politics-and-economics
○ガーディアン 大いなる裏切り：ロンドンオリンピックレガシーの完売
https://www.theguardian.com/uk-news/2022/jun/30/a-massive-betrayal-how-londons-olympic-legacy-was-sold-out
○資格・試験規制機関 イギリス試験採点者統計
https://assets.publishing.service.gov.uk/government/uploads/system/uploads/attachment_data/file/759284/Survey_of_Examiners_-_FINAL64496.pdf
○ハウジング・トゥデイ ロンドンオリンピックレガシーに関する記事
https://www.housingtoday.co.uk/olympic-legacy/13868.tag
○ハロウスクール週刊学校新聞
https://www.harrowschool.org.uk/oldharrovians/the-harrovian

○学研教育総合研究所 高校生白書Ｗｅｂ版
https://www.gakken.co.jp/kyouikusouken/whitepaper/h201809/chapter7/02.html
○経団連 2018 年度 新卒採用に関するアンケート調査結果
https://www.keidanren.or.jp
○国際オリンピック委員会 オリンピックレガシー
https://stillmed.olympic.org/Documents/Olympism_in_action/Legacy/2013_Booklet_Legacy.pdf
○国際日本文化研究センター 伯剌西爾時報 1928 年 6 月 22 日
https://rakusai.nichibun.ac.jp/hoji/ichiran.php?title=Brasil

○国際バカロレア（IB）ディプロマプログラム（DP）科目概要
https://www.ibo.org/globalassets/new-structure/programmes/dp/pdfs/history-hl-2017_jp.pdf
○中央教育審議会 新しい時代における教養教育の在り方について（答申）
https://www.mext.go.jp/b_menu/shingi/chukyo/chukyo0/toushin/020203/020203a.htm#02
○日本ラグビーフットボール協会 ラグビー憲章で掲げる5つのコアバリュー
https://www.rugby-japan.jp/future/corevalues
○文部科学省 小学校学習指導要領(平成29年告知) 解説 社会編 2017年7月
https://www.mext.go.jp/content/20230308-mxt_kyoiku02-100002607_003.pdf
○文部科学省 小学校学習指導要領（平成29年告示）解説 総合的な学習の時間編 2017年7月
https://www.mext.go.jp/component/a_menu/education/micro_detail/__icsFiles/afieldfile/2019/03/18/1387017_013_1.pdf
○文部科学省 中学校学習指導要領 2008年3月（2010年11月一部改正）
https://www.mext.go.jp/a_menu/shotou/new-cs/youryou/chu/sya.htm#koumin
○文部科学省 中学校学習指導要領（平成29年告示）2017年7月
https://www.mext.go.jp/component/a_menu/education/micro_detail/__icsFiles/afieldfile/2019/03/18/1387018_003.pdf
○文部科学省 高等学校学習指導要領(平成30年告知)解説 地理歴史編 2018年3月
https://www.mext.go.jp/content/20220802-mxt_kyoiku02-100002620_03.pdf
○【日本語字幕】毛沢東演説“中華人民共和国建国宣言”
https://www.youtube.com/watch?v=w4WodNOAQ70

松原直美（まつばら・なおみ）

1968（昭和43）年東京生まれ。上智大学経済学部卒業、早稲田大学大学院アジア太平洋研究科博士後期課程退学。商社勤務の配偶者の駐在に伴い、タイの公立中高一貫校、UAEの国立ザイド大学（Zayed University）などに勤務。2014年から2018年まで英国のパブリック・スクール「ハロウ校」で選択科目である日本語の非常勤講師を務める。茶道や武道の普及にも尽力。著書に『住んでみた、わかった！イスラーム世界』（2014年、SBクリエイティブ）、『絵本で学ぶイスラームの暮らし』（2015年、あすなろ書房）、『英国名門校の流儀　一流の人材をどう育てるか』（2019年、新潮社）。現在東京在住。日本語教育や英国教育の紹介活動に従事。

英国名門校（パブリック・スクール）で出会った最強のリベラルアーツ
世界のリーダーは歴史をどう学ぶか

二〇二三年（令和五年）九月三十日　初版第一刷発行

著　者　松原 直美
発行者　石井 悟
発行所　株式会社自由国民社
東京都豊島区高田三―一〇―一一　〒一七一―〇〇三三
電話〇三―六二三三―〇七八一（代表）
造　本　ＪＫ
印刷所　横山印刷株式会社
製本所　新風製本株式会社

Special Thanks to:
編集協力
株式会社エディング